KV-383-178

Dessins impressionnistes & post-impressionnistes

Christopher Lloyd

Dessins impressionnistes & post-impressionnistes

224 illustrations

Thames & Hudson

Pour Alexander, Benedict, Oliver et Rupert
qui, chacun à sa façon, m'ont ouvert les yeux sur le monde.

En couverture : **Henri de Toulouse-Lautrec**
Étude pour *Femme tirant son bas*, v. 1894
Huile sur carton, 80 × 60 cm.
MUSÉE TOULOUSE-LAUTREC, ALBI

Page de titre : **Paul Cézanne**
Statue sous les arbres, 1898-1900
Crayon et aquarelle, 48,2 × 31,3 cm.
THE COURTAULD GALLERY, LONDRES

L'édition originale de cet ouvrage a paru sous le titre *Impressionist and Post-Impressionist Drawings* chez Thames & Hudson Ltd.

Traduit de l'anglais par Anne Levine.

Cet ouvrage mis en pages par Thames & Hudson a été reproduit et achevé d'imprimer en mai 2019 par l'imprimerie C&C Offset Printing Co. Ltd pour Thames & Hudson.

Dépôt légal : 3e trimestre 2019
ISBN 978-0-500-02315-0
Imprimé en Chine

« [Delacroix] *disait une fois à un jeune homme de ma connaissance : "Si vous n'êtes pas assez habile pour faire le croquis d'un homme qui se jette par la fenêtre, pendant le temps qu'il met à tomber du quatrième étage sur le sol, vous ne pourrez jamais produire de grandes machines* [peintures]. " »

Charles Baudelaire, 1863

« *Avec un dos, nous voulons que se révèle un tempérament, un âge, un état social ; par une paire de mains, nous devons exprimer un magistrat ou un commerçant ; par un geste, toute une suite de sentiments. La physionomie nous dira qu'à coup sûr celui-ci est un homme rangé, sec et méticuleux, et que celui-là est l'insouciance et le désordre même. L'attitude nous apprendra que ce personnage va à un rendez-vous d'affaires, et que cet autre revient d'un rendez-vous d'amour.* »

Edmond Duranty, 1876

« *Les dessins ne s'interdisent pas à nous avec le temps : ils se laisseront toujours redécouvrir.* »

Deanna Petherbridge, 2017

Sommaire

Introduction
Le triomphe du dessin

Le passage du temps et une popularité sans cesse croissante sont à l'origine des nombreux mythes qui entourent l'impressionnisme et le postimpressionnisme. Les deux mouvements étaient intimement liés à l'avant-garde parisienne de la seconde moitié du XIXe siècle. Les impressionnistes étaient actifs depuis au moins une décennie quand eut lieu la première exposition impressionniste de 1874 qui sera suivie de sept autres jusqu'en 1886. Ils choisirent de représenter des scènes de la vie quotidienne et non des sujets historiques, religieux ou mythologiques. Pour ce faire ils inventèrent un nouveau style qui était marqué par des traits de pinceau audacieux et des couleurs puissantes. Leurs images provoquaient des controverses et avaient un impact immédiat et dérangeant sur le public. Les postimpressionnistes appartenaient quant à eux majoritairement à une génération plus jeune qui commença à exposer en tant que groupe au milieu des années 1880. Ils étaient moins préoccupés par la représentation littérale de la réalité. En conséquence ils créèrent des styles – le pointillisme et le cloisonnisme entre autres – qui interprétaient la vie quotidienne de façon plus imaginative. Leurs œuvres – aux effets hermétiques et à l'atmosphère ressortant de la rêverie – tendaient vers le symbolisme et l'idéalisme.

La frontière entre impressionnisme et postimpressionnisme n'était en aucun cas nette et précise. À l'origine il régnait un respect mutuel entre les deux groupes sur le plan professionnel et les influences étaient réciproques et revendiquées. Plusieurs postimpressionnistes – Gauguin, Seurat, Van Gogh – fréquentaient les impressionnistes et on peut dire qu'ils en sont les héritiers directs. Par ailleurs, certains des impressionnistes eux-mêmes – Degas, Monet, Renoir – moururent de nombreuses années après les plus jeunes des postimpressionnistes. Les deux mouvements étaient chacun caractérisés par une cohésion assez grande pour posséder une identité distincte mais avant même la fin des expositions impressionnistes, des mésententes concernant le choix des participants se firent jour, révélant les tensions entre peintres de figures et de paysages. L'union au sein des postimpressionnistes fut quant à elle de courte durée : après les débuts à Pont-Aven en Bretagne à la fin des années 1880, ils empruntèrent chacun des chemins très différents.

1. **Edgar Degas**
Trois Danseuses en tutu violet, v. 1895-1899
Pastel, 73,2 × 49 cm. Signé.
COLLECTION PARTICULIÈRE EN PRÊT PERMANENT À LA NATIONAL GALLERY, LONDRES

On aborde souvent l'impressionnisme et le postimpressionnisme de façon isolée comme s'ils n'avaient aucun lien avec reste de l'art français du XIXe siècle. En conséquence, les éléments disruptifs des œuvres qui ont tant choqué les instances officielles artistiques françaises et une partie du public ont été dilués au lieu d'être soulignés. Il est pourtant clair que les changements et innovations que les artistes avant-gardistes recherchaient sans relâche et si passionnément n'auraient pu advenir *ex nihilo*. L'étude du contexte de l'impressionnisme et du postimpressionnisme – à la fois leurs racines dans le passé et leurs relations avec l'art de l'époque – est essentielle pour parvenir à une meilleure appréciation des succès de ces deux mouvements qui se tenaient à l'orée de l'art moderne. Cézanne l'a exprimé succinctement dans une lettre du 23 janvier 1905 au critique Roger Marx : « Dans ma pensée on ne se substitue pas au passé, on y ajoute seulement un nouveau chaînon. »

Une des affirmations les plus souvent faites à propos de l'impressionnisme et du postimpressionnisme est que les œuvres étaient directement créées devant la nature. La célèbre toile de Renoir *Monet peignant dans son jardin à Argenteuil* (1873, Wadsworth Atheneum, Hartford, Connecticut) ne laisse aucun doute à ce sujet. Il est certain que Pissarro et Cézanne, ainsi que Monet et Renoir ou encore Gauguin et Van Gogh, exprimèrent avec clarté l'idée que leur art était d'une certaine façon la traduction des sensations qu'ils ressentaient personnellement devant la nature et une partie considérable de leurs toiles a en effet été créée en plein air. D'autres artistes comme Degas, Seurat et Toulouse-Lautrec avaient un point de vue diamétralement opposé. Ils préféraient explorer les intérieurs domestiques ou les lieux de divertissement urbains. Degas note de façon laconique dans un de ses premiers carnets que « l'ennui [le] gagne à contempler la nature ». Il est dorénavant admis que quel que soit le sujet représenté, la plupart des œuvres des impressionnistes et postimpressionnistes étaient entreprises dans les ateliers plutôt que sur le motif. L'abondance de carnets à dessins montre de façon indéniable que les peintres de paysages et de figures rassemblaient à la source – en dehors de leur atelier – des preuves visuelles mais que l'essentiel du travail qui s'ensuivait avait lieu à l'intérieur d'après des esquisses à l'huile ou des dessins et avec, si nécessaire, l'aide de modèles. Degas n'a-il pas écrit au romancier irlandais George Moore : « Aucun art n'est aussi peu spontané que le mien. Ce que je fais est le résultat de la réflexion et de l'étude des grands maîtres ; de l'inspiration, la spontanéité, le tempérament – le tempérament est le mot –, je ne sais rien. »

Les nombreux dessins créés par les peintres impressionnistes et postimpressionnistes constituent un outil d'une importance considérable pour comprendre les méthodes de travail des artistes avant-gardistes de la fin du XIXe siècle en France. Le dessin était en quelques mots un élément essentiel de l'art révolutionnaire qu'ils produisaient. Ajoutons le fait que Degas, Cézanne, Seurat, Van Gogh et Toulouse-Lautrec font indéniablement partie des plus grands dessinateurs de tous les temps et qu'il serait imprudent de dédaigner les efforts d'autres artistes tels que Manet, Pissarro, Renoir, Gauguin, Cassatt, Monet et Redon. Même s'ils n'ont jamais été totalement ignorés, les dessins – contrairement aux peintures qui ont fait l'objet d'une vaste littérature – et leur rôle déterminant dans le développement de l'impressionnisme et du postimpressionnisme ont été peu étudiés. Ils continuaient d'être conçus traditionnellement comme des outils préparatoires pour les toiles finales mais ils pouvaient aussi être créés dans le but d'être exposés en tant qu'œuvres d'art à part entière, dans une large gamme de médiums – craie, fusain, crayon Conté, aquarelle, pastel, tempera, gouache, peinture à l'essence (huile diluée avec de la térébenthine). Il y eut en moyenne 20% de dessins dans les huit expositions impressionnistes, le chiffre atteignant 30% dans celle de 1879 et 26% dans celle de 1886. C'est Degas qui exposa le plus de dessins lors de ces manifestations (67), suivi de Pissarro (50), Rouart (49), Morisot (40) et Forain (39). On a aussi pu voir des dessins aux Salons de la Société des Artistes Indépendants à Paris où les postimpressionistes exposèrent à partir de 1884 et à ceux des Vingt à Bruxelles lancés la même année.*

Le dessin a été l'objet d'un intérêt croissant tout au long du XIXe siècle en France. Le Salon annuel au Palais des Champs-Elysées acceptait à chaque édition un grand nombre de dessins (plus de 10 000 entre 1860 et 1881) de différents types et les exposait séparément des toiles. À une plus petite échelle, des groupes spécialisés tels que la Société des Aquarellistes (1879-1896), la Société des Pastellistes (1885-1928), celles du Noir et Blanc (1876 et 1881) et du Blanc et Noir (1885-1892) faisaient montre d'un enthousiasme plus averti. Des expositions de dessins de maîtres anciens et des rétrospectives d'artistes renommés récemment décédés étaient organisées par le musée du Louvre ainsi que par l'École des Beaux-Arts sous l'égide de l'Académie des Beaux-Arts ou encore dans le cadre des Expositions universelles qui eurent lieu à Paris en 1867, 1878 et 1889. Des marchands d'art, tels Paul Durand-Ruel et Georges Petit, montrèrent un intérêt grandissant pour le dessin et de grandes revues, en particulier *La Vie moderne*, *La Plume* et *L'Art*, passaient commande de dessins et faisaient non seulement la promotion d'expositions mais elles en organisaient aussi dans leurs locaux. Plus tard, au tournant du siècle, Ambroise Vollard et la Galerie Bernheim-Jeune proposèrent des expositions d'aquarelles de Cézanne qui contribuèrent grandement à asseoir la réputation de l'artiste. Des maisons de ventes aux enchères organisèrent des ventes de dessins et les collectionneurs privés se mirent à fleurir. Les monographies d'artistes faisaient référence à leurs dessins ; les expositions étaient l'objet de comptes rendus écrits par des critiques de talent dans des revues influentes telles que la *Gazette des Beaux-Arts* et des publications (souvent éphémères) consacrées aux aspects techniques du médium (*Le Fusain*, *Le Dessin*, *Le Blanc & Noir: Revue des Beaux-Arts et de l'Enseignement des Arts du Dessin*) étaient lancées, et en général subventionnées, par des éditeurs.

C'est dans un tel contexte que les impressionnistes et postimpressionnistes s'intéressèrent au dessin. Ils désiraient bouleverser les hiérarchies de l'époque et la

* Les informations contenues dans ce paragraphe et le suivant proviennent de Debra J. DeWitte, « Drawings on View in State-funded Venues and Artists' Societies in Paris, 1860-90: A Data-driven Study », *Master Drawings*, 55:2 (2017), pp. 225-248. Un décompte statistique plus ancien est disponible dans Christopher Lloyd et Richard Thomson, *Impressionist Drawings from British Public and Private Collections* (The Arts Council of Great Britain, 1986), p. 50 n. 35.

subordination du dessin à la peinture était une convention qu'ils eurent à cœur de remettre en cause. Ils ont pu mener à bien ce combat car il existait désormais une plus grande unité stylistique entre leurs peintures et leurs dessins due à leur rapidité d'exécution et à l'adoption de techniques plus libres et variées. La surface des toiles ne faisant plus l'objet de finitions parfaites, la différence physique entre une peinture et un dessin avait diminué. La production de dessins pour les expositions et les ventes présentait également un avantage économique. Quelle que soit sa taille, un dessin nécessitait techniquement moins de temps qu'une toile et la productivité s'en trouvait augmentée. Les marchands, sensibles à cet argument, encouragèrent leurs artistes à se consacrer à cet aspect de leur travail.

Les impressionnistes et postimpressionnistes ne se retrouvèrent pas dans cette situation en raison de leur seule détermination ; quelques détails pratiques se révélèrent également déterminants. Un choix plus large de matériaux s'offrait en effet aux artistes qui pouvaient les utiliser dans de nouveaux environnements sans être obligés de se plier à des pratiques établies. C'était en particulier le cas des matériaux aux effets plus doux tels que la craie, le fusain, le crayon Conté, le crayon lithographique, le pastel, l'aquarelle, la tempera et la gouache, qui étaient aussi désormais plus facilement disponibles, que ce soit sous forme naturelle ou manufacturée. Il régnait également une plus grande ouverture d'esprit face à l'utilisation d'instruments plus traditionnels tels que le crayon à papier, le porte-plume et le pinceau : Van Gogh appréciait par exemple les crayons de menuisier, les calames et les plumes. Ajoutons à cela un plus grand goût pour l'expérimentation qui fit que beaucoup de dessins étaient exécutés en technique mixte, potentiellement plus complexe à analyser et pouvant même inclure l'huile habituellement réservée à la peinture. Cet esprit d'improvisation déboucha également sur d'intéressantes manipulations de la surface du papier dont certaines étaient communes à la gravure : estompage, gommage, raclage, mouillage ou encore fixage. La conséquence de tous ces développements fut que le tracé et la couleur dans l'art avant-gardiste convergèrent et que le dessin devint de ce fait indissociable de la peinture.

Les artistes continuaient d'apprécier les papiers de bonne qualité tels que ceux de la marque Ingres mais des papiers colorés et préparés, parfois de qualité moindre, circulaient également. Pour Cézanne et Seurat en particulier le choix du papier était intimement lié à leurs techniques. Degas appréciait quant à lui le papier calque car il lui permettait de transférer des silhouettes ou de les inverser pour produire des compositions parfois conçues en séries. Les carnets à dessins étaient disponibles en formats divers tout comme les blocs de croquis et faisaient désormais partie de l'équipement de tout artiste en déplacement. Les papiers « Gillot » à la texture si particulière permettaient une meilleure reproduction des dessins dans les journaux. Mais les artistes utilisaient également d'autres supports – toile, lin, soie, carton, bois – dont les différents degrés d'absorption leur permettaient de jouer sur le niveau de finition. Ces supports n'étaient plus limités aux tailles standard traditionnelles et plusieurs artistes, en particulier Degas et Toulouse-Lautrec, agrandissaient même leurs compositions au fur et à mesure qu'ils créaient en ajoutant des morceaux supplémentaires qu'ils renforçaient ensuite à l'arrière du support. Les dessins pouvaient être encadrés pour les besoins d'expositions, ce qui les rapprochait encore plus des peintures et aucune distinction n'était désormais faite entre les deux supports sur les murs.

Grâce à son changement de statut le dessin avait acquis une autonomie inédite. Cette évolution eut vraisemblablement en France pour bénéficiaires immédiats les nabis et les fauves puis Henri Matisse et Pablo Picasso, mais elle eut aussi des conséquences à plus long terme. Il est en effet difficile d'imaginer que le travail des expressionnistes abstraits ou d'artistes de bien d'autres mouvements d'art moderne ait existé sans cette fusion entre peinture et dessin dont sont responsables les impressionnistes et les postimpressionnistes. À cet égard il existe une véritable corrélation visuelle entre les dessins de Degas [1] et de Willem de Kooning, entre Seurat [2] et les travaux de Mark Rothko et Barnett Newman, entre Van Gogh [3] et Jackson Pollock.

II

Le dessin a toujours joué un rôle central dans la peinture européenne et il est important de reconnaître à quel point les impressionnistes et postimpressionnistes étaient les héritiers d'une tradition largement reconnue. Dans son *Histoire naturelle* datant du Ier siècle après J.-C., Pline l'Ancien écrit : « tous convenant que les commencements [de la peinture] en furent de circonscrire par une ligne l'ombre d'un homme. » Jusqu'à la Renaissance le dessin n'est considéré que comme un moyen pour arriver à une fin. C'est par exemple ce qu'exprime Cennino Cennini dans son manuel *Le Livre de l'art* écrit vers la fin du XIVe siècle. Mais un changement s'opère dans l'Italie du XVIe siècle. Dans ses *Vies d'artistes* (deuxième édition de 1568), Giorgio Vasari confère au mot italien signifiant dessin – *disegno* – une définition plus complexe qui s'attache plus à la notion d'idée derrière l'œuvre d'art qu'à quelque considération pratique sur l'exécution de celle-ci.

Les premières académies chargées d'enseigner l'art du dessin furent fondées en Italie : l'Accademia del Disegno à Florence en 1563, l'Accademia di San Luca à Rome et l'Accademia degli Incamminati à Bologne, toutes deux en 1577. Ce sont ces institutions qui sont à l'origine des chartes de formation des jeunes artistes mêlant principes intellectuels et talents manuels. Les traités théoriques qui commencèrent à être publiés à la même époque contribuèrent à la dissémination des nouvelles théories sur l'importance du dessin.

L'influence de la sculpture classique et la présence de chefs-d'œuvre des grands peintres de la Renaissance firent de Rome la capitale indiscutée de l'art européen – une position qu'elle conservera pendant plusieurs siècles. Des artistes français du XVIIe siècle comme Claude Lorrain et Nicolas Poussin passèrent une grande partie de

2. Georges Seurat
Arbres (étude pour *Un dimanche après-midi à l'île de la Grande Jatte*), 1884
Crayon Conté, 62 × 47,5 cm.
THE ART INSTITUTE OF CHICAGO

leur carrière dans cette ville mais c'est paradoxalement à Paris, et non pas à Rome, que naquit l'Académie la plus influente d'Europe : l'Académie de Peinture et de Sculpture, une institution royale fondée en 1648. Elle devint la structure officielle de formation des artistes en France et – par le biais des académies municipales fonctionnant sous son égide dans les départements – la principale force régulatrice en matière de pratique artistique dans le pays.

En 1666 fut créé à Rome un avant-poste de l'Académie de Paris – l'Académie de France – qui accueillait pendant trois ans ou plus les étudiants qui avaient remporté le prestigieux Prix de Rome de peinture historique. Les directeurs des institutions parisienne et romaine étaient des personnages d'une grande influence.

3. **Vincent van Gogh**
Bateaux en mer : Saintes-Maries-de-la-Mer, mi-juillet 1888
Calame et encre sur crayon, 24 × 32 cm.
KUPFERSTICHKABINETT, STAATLICHE MUSEEN ZU BERLIN

Le processus d'apprentissage à l'Académie était de nature très graduelle [4]. Les étudiants commençaient pas copier gravures et dessins en intégralité ou en partie puis passaient aux copies d'œuvres tridimensionnelles, réalisant en général des moules en plâtre d'après des sculptures antiques. L'étape finale consistait à dessiner des modèles vivants dont les poses correspondaient généralement aux canons classiques. Ce système appliqué de façon extrêmement stricte leur inculquait une grande discipline, le respect de la tradition ainsi que l'idée selon laquelle l'exactitude du dessin équivalait à la rectitude morale. Le dessin d'après modèle vivant formait en soi une catégorie à part appelée « académie », admirée pour l'habileté qu'elle nécessitait mais peu ouverte à l'idée d'interprétation. Pierre-Paul Prud'hon, artiste de la cour de Napoléon Ier réputé pour ses dessins d'après modèle d'une grande perfection, fait figure d'exception au début du XIXe siècle. Sur ses papiers mi-teintes bleus il créait des textures veloutées à la luminosité rayonnante qui concouraient à transformer une pose statique en geste d'une grande individualité [5].

En dehors des cours de technique, les élèves étudiaient des comptes rendus de conférences et débats ainsi que des manuels reprenant la doctrine officielle de l'Académie. Citons les plus célèbres de ces publications : *Proportions du corps humain mesurées sur les plus belles figures de l'Antiquité* (1683) de Gérard Audran et *Conférence sur l'expression générale et particulière* (1698) de Charles Le Brun, l'un des premiers et plus éminents directeurs de l'Académie. Les deux ouvrages connurent de nombreuses rééditions et eurent une grande influence en Europe pendant une période considérable.

L'Académie aidait certes de jeunes artistes à devenir des dessinateurs talentueux mais elle étouffait en eux toute créativité ou individualisme. Ce sont pourtant ces mêmes artistes qui, à partir de la seconde moitié du XVIIe siècle, reçurent des commandes officielles de la part de l'Église et de l'État et exposèrent régulièrement lors des Salons qui dictaient alors le goût. L'Académie fut remise en cause lors de la Révolution française mais elle réapparut peu de temps après sous le nom d'Académie des Beaux-Arts. La pratique de l'enseignement fut confiée à l'École des Beaux-Arts à laquelle on était admis par examen et qui mesurait la réussite des étudiants par le biais de concours dans diverses catégories de dessin. L'École fut réformée par décret gouvernemental en 1863 : les règles d'admission furent assouplies, des ateliers en bonne et due forme furent créés et les nouvelles techniques et idées furent encouragées. Ce changement aboutit à une plus grande liberté d'expression et augmenta l'attrait de l'École dont l'enseignement était dispensé par certains des plus grands maîtres de l'époque. Ceux-ci dirigeaient également des ateliers destinés aux candidats potentiels cherchant à acquérir les talents nécessaires pour réussir l'examen d'entrée. Plusieurs impressionnistes et postimpressionnistes fréquentèrent ces ateliers : Manet étudia auprès de Thomas Couture ; Degas auprès de Félix Barrias ; Monet, Bazille, Sisley et Renoir auprès de Charles Gleyre ; Seurat [6] auprès d'Henri Lehmann ; Van Gogh [7] et Toulouse-Lautrec [8] auprès de Fernand Cormon.

4. **Charles-Joseph Natoire**
Dessin d'après modèle à l'Académie royale de peinture et de sculpture, 1746
Plume, encre noire et brune, lavis gris et aquarelle avec traces de crayon sur craie noire, 45,3 × 32,3 cm. Signé et daté.
THE COURTAULD GALLERY, LONDRES

5. **Pierre-Paul Prud'hon**
Femme nue debout, v. 1810-1820
Craie noire et blanche sur papier bleuté, 62,5 × 41,5 cm.
BRITISH MUSEUM, LONDRES

6. **Georges Seurat**
Satyre et Chèvre (d'après l'Antique), v. 1877-1879
Craie noire et crayon, 63,6 × 48,4 cm.
COLLECTION PARTICULIÈRE

7. **Vincent van Gogh**
Buste d'un jeune guerrier (d'après Antonio Pollaiuolo), 1886
Fusain et craie sur papier, 61,7 × 48,2 cm.
VAN GOGH MUSEUM, AMSTERDAM

Si les candidats échouaient à l'examen d'entrée à l'École, d'autres opportunités d'apprendre le dessin s'offraient à eux. Il existait des académies privées telles que l'Académie Suisse sur l'île de la Cité où les règles étaient plus souples, les poses des modèles moins traditionnelles et les techniques et matériaux envisagés de manière plus ouverte. Pissarro, Cézanne [9], Monet et Guillaumin étudièrent à l'Académie Suisse dont le propriétaire était un ancien modèle lui-même. Plus renommée, l'Académie Julian, qui avait été fondée en 1868 et admettait les femmes, était gérée dans un esprit plus commercial. Bonnard, Vuillard, Derain, Léger et Matisse firent partie des protégés de cette institution. Ces académies indépendantes étaient plus attrayantes pour les artistes d'avant-garde, en particulier ceux qui n'étaient pas reçus à l'École des Beaux-Arts ou qui, une fois admis, étaient déçus par l'enseignement qu'on y prodiguait.

Ces jeunes artistes ambitieux pouvaient également faire le choix de s'enregistrer comme copistes au musée du Louvre ou au cabinet des Estampes de la Bibliothèque Nationale comme le fit Degas en 1853 [10]. De la même manière, Cézanne exécuta des copies au Louvre [11] et au musée de Sculpture Comparée du Palais du Trocadéro qui avait ouvert ses portes en 1882 [11]. Degas et Cézanne étaient tous deux des copistes prolifiques – ils créèrent chacun plusieurs centaines de copies et Cézanne s'adonna à cette activité tout au long de sa vie. Quand les artistes avaient les moyens de voyager à l'étranger, comme Manet [12] et Degas dans les années 1850, ils en profitaient pour copier des œuvres.

Les artistes pouvaient également s'inspirer de publications comme le recueil illustré en quatorze volumes de Charles Blanc *Histoire des peintres de toutes les Écoles* (1845-1876), de revues telles que *L'Artiste*, *L'Illustration*, *Le Magasin pittoresque* ou encore de magazines de mode. Les manuels de dessin étaient nombreux et souvent réédités. Ceux de Charles Bargue et Armand Cassagne qui enseignaient les bases des différents types de dessin étaient par exemple très appréciés de Van Gogh. Blanc est également l'auteur d'un manuel – *Grammaire des arts du dessin* (1867) – qui joua un rôle de plus grande importance encore. C'est en lisant cet ouvrage tout

8. **Henri de Toulouse-Lautrec**
Homme nu assis, femme nue debout, v. 1883-1887
Fusain, 69 × 54 cm.
MUSÉE TOULOUSE-LAUTREC, ALBI

sauf rétrograde de cette figure parmi les plus influentes de l'art français du XIXe siècle que Seurat développa ses théories sur le pointillisme. *L'Éducation de la mémoire pittoresque* d'Horace Lecoq de Boisbaudran (1848) connut un succès public similaire. L'auteur était professeur à l'École Royale Gratuite de Dessin (surnommée la Petite École). Il prônait le dessin et la copie de mémoire et proposait que les modèles posent en plein air et non dans l'atelier. La plupart des artistes d'avant-garde suivirent ses préceptes et conseils pratiques car le dessin de mémoire encourageait une analyse visuelle précise ainsi que la rétention des images tout en faisant travailler directement l'imagination.

9. Paul Cézanne
Homme nu, v. 1865
Fusain rehaussé de blanc, 49 × 31 cm.
FITZWILLIAM MUSEUM, CAMBRIDGE

10. Edgar Degas
Copie d'après *Minerve chassant les vices du jardin de la vertu* d'Andrea Mantegna, v. 1855
Crayon, 29,1 × 20,2 cm. Cachet de l'artiste.
ASHMOLEAN MUSEUM, OXFORD

III

L'un des meilleurs avocats de l'avant-garde en France fut l'écrivain Edmond Duranty. Son pamphlet de 38 pages intitulé *La Nouvelle Peinture* fut publié en 1876 au moment même de la deuxième exposition impressionniste. Il y aborde entre autres la pertinence du dessin dans l'art avant-gardiste :

> *Adieu le corps humain traité comme un vase, au point de vue du galbe décoratif ; adieu l'uniforme monotonie de la charpente, de l'écorché saillant sous le nu ; ce qu'il nous faut c'est la note spéciale de l'individu moderne, dans son vêtement, au milieu de ses habitudes sociales, chez lui ou dans la rue.*

11. **Paul Cézanne**
Filippo Strozzi (d'après Benedetto da Maiano), 1881-1884
Crayon, 21,4 × 13,1 cm.
KUPFERSTICHKABINETT, KUNSTMUSEUM, BÂLE

12. **Édouard Manet**
Copie d'après la *Cantoria* de Luca della Robbia autrefois au Duomo de Florence, 1853 ou 1857
Crayon et lavis brun, 28,4 × 21,8 cm.
MUSÉE DU LOUVRE (COLLECTION MUSÉE D'ORSAY), PARIS

L'auteur insinue dans ce passage que l'enseignement offert par l'École des Beaux-Arts n'a pas jusqu'ici produit d'artistes qui puissent par leur œuvre refléter « l'inépuisable diversité des caractères » de la vie moderne. Le style que les impressionnistes avaient développé était selon lui en revanche en mesure d'exprimer « le suc de la vie ». Il est intéressant de noter qu'afin de trouver un moyen de dépeindre la scène contemporaine de manière convaincante les artistes d'avant-garde devaient trouver des sources d'inspiration nouvelles, en dehors des cercles académiques, et créer ainsi une tradition nouvelle.

Jean-Auguste-Dominique Ingres (1780-1867) et Eugène Delacroix (1798-1863) furent les deux figures clés de l'art français pendant la première moitié du XIXe siècle. On envisage souvent ces artistes comme les deux chefs de file de factions opposées – respectivement les néoclassiques et les romantiques – mais on sera peut-être surpris de constater que leurs personnalités se trouvaient à contre-courant de leur art. Ingres, dont l'œuvre respirait la rationalité et le conformisme, était un homme aux émotions fortes et Delacroix, qui créait des œuvres énergiques et impétueuses, était prudent et solitaire. Ingres idolâtrait Raphaël et passa de nombreuses années à Rome ; Delacroix admirait Rubens et séjourna en Afrique du Nord. Baudelaire écrivit qu'Ingres avait un « talent avare, cruel, coléreux et souffrant » tandis que Delacroix aimait « couvrir le papier de rêves, de projets, de figures entrevues dans les hasards de la vie ». Les dessins d'Ingres s'inscrivent dans un processus de divulgation ; ceux de Delacroix ressortent de l'incrémentation. Les deux artistes dessinaient compulsivement et, bien qu'ils aient été formés au sein du système académique et qu'ils en aient été d'une certaine mesure les bénéficiaires comme en témoigne leur succès aux Salons, ils entretenaient tous deux des relations ambivalentes avec les institutions officielles de l'art français. Ces dichotomies ne manquèrent pas d'intéresser les impressionnistes et postimpressionnistes qui en tirèrent avantage sur le plan créatif.

Les toiles d'Ingres sont remarquables par la limpidité de leur composition et la qualité de leur finition. L'artiste réalisait pour ce faire de nombreux dessins, cette phase préparatoire s'apparentant à la technique de la distillation [13]. La précision et l'exactitude de ses toiles historiques n'ont d'égales que le raffinement de ses portraits dont beaucoup prenaient la forme de dessins. Pour Ingres le dessin était un exercice d'une discipline intense qui exigeait cohérence et détermination. Mais c'est le rôle primordial qu'il réservait à ce médium qui est encore plus à relever. Le dessin était pour lui l'élément constitutif majeur de la peinture : « Dessiner ne veut pas dire simplement reproduire des contours ; le dessin ne consiste pas simplement dans le trait : le dessin, c'est encore l'expression, la forme intérieure, le plan, le modelé. Voyez ce qui reste après cela ! Le dessin comprend les trois quarts et demi de ce qui constitue la peinture. »

Si pour Ingres dessiner relevait de l'acte de contrition, pour Delacroix il s'agissait de pure exaltation, une exaltation exprimée de la façon la plus éloquente dans ses aquarelles et pastels. Ses dessins reflètent une curiosité impérieuse, décomplexée et presque naïve pour le monde ; la main est fébrile, l'œil omniscient et l'énergie indéfectible [14]. Ce dynamisme virtuose transparaît autant dans la qualité explosive de la ligne – bondissante, fluide, agitée, bouclée, brisée – que dans la liberté de ses aquarelles ou l'intensité des couleurs de ses pastels. De ses dessins l'artiste a écrit : « Contour. Doit venir le dernier, au contraire de la coutume. Il n'y a qu'un homme très exercé qui puisse le faire juste. » Les idées sont déroulées sur le papier telles des rivières en crue mais avec toujours beaucoup de cohérence. Son talent résidait dans sa capacité à contrôler la masse de matériaux accumulée avec soin et presque continuellement revisitée. Citons encore Baudelaire : « Delacroix était passionnément amoureux de la passion, et froidement déterminé à chercher les moyens d'exprimer la passion de la manière la plus visible. » La virtuosité de l'artiste était telle qu'il était en recherche perpétuelle de nouvelles solutions. Il l'a lui-même écrit : « Et pourtant il faut être très hardi !... Sans hardiesse, et une hardiesse extrême, il n'y a pas de beautés. »

Ingres et Delacroix offraient des exemples contradictoires aux impressionnistes et postimpressionistes mais les deux artistes exercèrent sur eux une grande influence. Le raffinement d'Ingres inspirait Degas, Renoir et Morisot ; l'abandon de Delacroix attirait Gauguin, Cézanne et Redon. Deux autres artistes actifs au milieu du XIXe et principalement réputés pour leurs illustrations contribuèrent à leur indiquer le chemin à suivre : Honoré Daumier (1808-1879) et Constantin Guys (1802-1892). Daumier était dessinateur lithographe de formation. Il contribua sans relâche et presque exclusivement à des revues telles que *Le Charivari*, fondée en 1832. Il était immensément prolifique et finit par ajouter peinture et sculpture à son activité artistique. Il était aussi extrêmement polyvalent et abordait une gamme de sujets très variée, allant de la vie contemporaine au théâtre et au cirque, en passant par la littérature. Il dessinait de mémoire et versait du côté de la caricature. Ardent républicain, il découvrit que pour éviter la censure il devait ne pas se limiter au commentaire politique : il lui fallait augmenter le nombre de ses cibles

13. **Jean-Auguste-Dominique Ingres**
Étude pour *La Vicomtesse d'Haussonville*, 1842-1845
Crayon, 23,4 × 19,6 cm.
HARVARD ART MUSEUMS (FOGG MUSEUM), CAMBRIDGE, MASSACHUSETTS

pour s'en prendre aux prétentions et injustices à l'œuvre dans l'ensemble de la société française, quel que soit le type de gouvernement. Dans un texte intitulé *Quelques caricaturistes français*, Baudelaire a dit de Daumier :

> *Feuilletez son œuvre, et vous verrez défiler devant vos yeux, dans sa réalité fantastique et saisissante, tout ce qu'une grande ville contient de vivantes monstruosités. Tout ce qu'elle renferme de trésors effrayants, grotesques, sinistres et bouffons, Daumier le connaît.*

Le style de Daumier est lyrique. Ses contours qui semblent se plier si aisément à tous ses caprices possèdent un rythme puissant et ses couleurs sont appliquées avec une exaltation qui rappelle l'art rococo. Les dessins finaux sont généralement exécutés en technique mixte – encre, rehauts de lavis, d'aquarelle et de gouache [15]. Cette technique est mise au service d'un contenu complexe dont l'artiste s'efforce néanmoins de transmettre la signification instantanément au public comme si les légendes, qu'il n'écrivait jamais lui-même, n'étaient pas présentes. Ses toiles et sculptures sont plus expérimentales mais tout autant aiguisées et percutantes. Bien qu'il soit mort dans une relative obscurité, Daumier fut très admiré de ses collègues artistes en raison de son intérêt pour la condition humaine et de son désir de corriger les défauts de la société.

Si le répertoire de Daumier s'étendait de l'héroïque au pitoyable, du tragique au comique, de l'allégorique au caricatural, celui de Constantin Guys était plus limité, et ce même s'il avait beaucoup voyagé. Guys était devenu artiste sur le tard et était employé en tant qu'illustrateur officiel par *The Illustrated London News* et *Le Figaro*. Il était habitué à travailler rapidement, dans des circonstances incertaines et dans des lieux reculés dont une zone de guerre. Son style qui traduisait un engagement total se caractérisait par un travail à la plume fougueux et par une utilisation généreuse du lavis [16]. Ses lignes étaient courtes et concises mais toujours extrêmement rythmées. Loin d'être un moraliste, Guys montre un monde en constante évolution observé sans intention précise et accepté tel quel. Il se délecte à représenter l'arrondi d'un chapeau haut-de-forme, le mouvement d'une crinoline, la coupe d'un

14. **Eugène Delacroix**
Étude d'une femme à moitié nue pour
La Liberté guidant le peuple, 1831
Crayon avec rehauts blancs, 32,4 × 22,8 cm.
MUSÉE DU LOUVRE, PARIS

uniforme, le bombé d'un pied agile, la courbe d'une moustache, le trot d'un cheval ou le balancement d'une calèche.

Baudelaire fit de Guys l'unique sujet de l'un de ses plus importants essais, *Le Peintre de la vie moderne*, publié dans *Le Figaro* en 1863. Il y affirmait que l'artiste avait « su concentrer dans ses dessins la saveur amère ou capiteuse du vin de la Vie ». Toujours selon Baudelaire, Guys passait ses journées à observer depuis la rue ou les parcs mais quand le soir tombait, à l'heure « où les rideaux du ciel se ferment, où les cités s'allument », il se retirait dans son atelier, « s'escrimant avec son crayon, sa plume, son pinceau, faisant jaillir l'eau du verre au plafond, essuyant sa plume sur sa chemise, pressé, violent, actif, comme s'il craignait que les images lui échappent, querelleur quoique seul, et

15. **Honoré Daumier**
Le Grand Escalier du Palais de justice, v. 1864
Fusain, crayon Conté, aquarelle, encre, lavis, 35,9 × 26,7 cm.
Signé.
BALTIMORE MUSEUM OF ART

16. **Constantin Guys**
Deux Femmes et un homme avec un chapeau et un monocle, v. 1860
Encre brune, lavis brun, avec touches de lavis bleu pâle, orange et jaune, 21,1 × 16 cm.
METROPOLITAN MUSEUM OF ART, NEW YORK

se bousculant lui-même ». Baudelaire choisit clairement Guys comme représentant de la peinture moderne en raison de ses sujets mais il est significatif que l'artiste en question soit dessinateur. Pour Baudelaire, la fluidité et l'immédiateté étaient les éléments déterminants de la vie moderne.

Ingres, Delacroix, Daumier et Guys possédaient des styles de dessin très distincts et hautement personnels mais qui comportaient chacun des éléments séduisants pour les artistes plus jeunes. Les membres de l'avant-garde naissante réalisèrent qu'en étudiant ces importants précurseurs ils pouvaient découvrir des façons de depeindre le monde contemporain plus efficaces que celles, rigides, imposées par le système académique. Ingres purifiait, Delacroix sublimait, Daumier moquait et Guys narguait, insufflant à eux quatre un esprit de rébellion bienvenu. C'est ainsi que ces artistes disparates et hautement respectés constituèrent une nouvelle tradition qui manquait certes de cohésion mais qui était marquée par une conviction à toute épreuve.

IV

Les artistes avec lesquels beaucoup d'impressionnistes et de postimpressionistes ressentaient le plus d'affinités étaient ceux de l'École de Barbizon. Barbizon est un petit village situé à la lisière de la forêt de Fontainebleau à une soixantaine de kilomètres au sud-est de Paris. La forêt est immense et le terrain très varié – vallonné, rocailleux, rocheux, boisé. De petits villages tels que Marlotte, Chailly et Barbizon étaient devenus depuis le milieu du XIXe siècle des centres d'activité artistique et apparaissent en effet dans les premières œuvres de Monet, Renoir, Pissarro et Sisley. La forêt de Fontainebleau faisait partie du patrimoine national : cartographiée avec soin et souvent illustrée dans les gravures topographiques, elle faisait par ailleurs l'objet de travaux de modernisation – goudronnage des routes et accès par le chemin de fer.

Les principaux artistes de l'École de Barbizon – Jean-Baptiste-Camille Corot, Charles François Daubigny, Jean-François Millet, Narcisse-Virgile Diaz de la Peña, Charles Jacque, Théodore Rousseau, Constant Troyon – aimaient cette région pour son paysage mais elle leur permettait aussi de représenter les activités agricoles à la fois dans leurs toiles et leurs dessins. En s'intéressant à ce genre de thème dès les années 1830 ces artistes s'éloignaient des canons de l'Académie des Beaux-Arts qui proclamait que les sujets bibliques, historiques et mythologiques étaient supérieurs à la peinture de genre ou de paysage. Lors des siècles précédents la pure peinture paysagère telle qu'elle était pratiquée en Hollande au XVIIe siècle ou en Grande-Bretagne au siècle suivant faisait l'objet d'une certaine méfiance en France car on considérait qu'elle n'offrait pas en elle-même un sujet convenable et édifiant et qu'elle encourageait un niveau de finition inférieur. Non seulement elle discréditait ainsi le caractère intellectuel de la peinture mais elle poussait potentiellement au bâclage. Sans compter qu'à partir de la fin du XIXe siècle les thèmes purement ruraux étaient devenus politiquement sensibles car le paysan surmené et exploité était considéré comme une menace potentielle pour l'ordre social.

Les paysages néoclassiques de la fin du XVIIIe siècle et du début du siècle suivant rappellent les œuvres du Lorrain et de Poussin. Les compositions sont équilibrées, harmonieuses et leurs valeurs tonales respectent soigneusement les traités tels que celui de Pierre-Henri Valenciennes, *Éléments de perspective pratique à l'usage des artistes* (1800). L'observation directe de la nature afin de saisir au mieux le mouvement des nuages et des arbres ou les effets changeants de la lumière ainsi que l'application spontanée de la peinture étaient autorisées dans le cadre des études à l'huile faites sur le motif mais le tout devait être revu et corrigé pour l'œuvre finale. Les impressionnistes, en particulier à la fin des années 1860 et au début de la décennie suivante, voulurent faire de ces pratiques traditionnellement réservées à la phase préparatoire la base même de leur art et c'est l'École de Barbizon qui leur ouvrit la voie.

Corot (1796-1875) fut à cet égard une figure clé du développement de la peinture paysagère au XIXe siècle en France. Sa reprise des principes néoclassiques de la peinture de paysage est des plus manifestes dans les toiles qu'il créa en Italie et en Suisse mais il produisit vers la fin de sa carrière des toiles pastorales dans des décors sylvestres, exécutées dans un style proche du romantisme et parfois précurseur du symbolisme. Il s'attaquait à des sujets religieux, mythologiques et allégoriques pour ses expositions au Salon, ainsi qu'à des portraits, mais ce sont ses paysages du nord de la France qui influencèrent les impressionnistes qui le considéraient comme une figure paternelle.

Corot vivait à Ville-d'Avray, un village situé au sud-ouest de Paris près de Versailles. Il passait ses journées à dessiner dans la campagne, la plupart du temps au crayon ou à l'encre. Il pensait qu'il fallait considérer un motif comme un tout avant de se préoccuper des détails et des valeurs tonales [17]. Ses dessins sont constitués de lignes souples entrecoupées soudainement de sombres hachures qui se détachent fortement sur le blanc du papier. Les nombreux détails servent presque littéralement d'index au contenu d'un paysage spécifique, mais ils révèlent aussi sa grande complexité – mouvements des feuillages, formes des branches, contours du terrain. Beaucoup de ses dessins tardifs seront exécutés au fusain, souvent sur du papier de couleur. Le style est alors plus relâché, les valeurs tonales puissantes et l'atmosphère dramatique.

Millet (1814-1875), qui était né près de Cherbourg sur la côte normande, exerça une plus grande influence encore en tant que dessinateur que le doux Corot. Après avoir étudié à l'École des Beaux-Arts pendant deux ans (1837-1839), il commença sa carrière en tant que peintre portraitiste avant de se spécialiser dans les idylles pastorales et les sujets ruraux exécutés dans un style naturaliste. Ses célèbres toiles *L'Angélus* (1855-1857) et *Des glaneuses* (1857), toutes deux conservées au musée d'Orsay, montraient la vie paysanne sous un jour héroïque et pouvaient être l'objet d'interprétations politiques. Du vivant de l'artiste de telles représentations de la vie agricole étaient soupçonnées de radicalisme et de mise en danger du status quo alors qu'après sa mort, on les qualifia de conservatrices et de sentimentalistes. Il n'exécuta de purs paysages qu'à la fin de sa vie.

Le style de Millet était le fruit de son étude poussée de Michel-Ange, de Poussin et de l'art français du XVIIIe siècle ainsi que, ne l'oublions pas, de sa grande connaissance de la littérature (Homère, Virgile, Shakespeare, Milton, Hugo, Chateaubriand, La Fontaine). Un tel éclectisme imprègne son œuvre d'une atmosphère très raffinée et l'artiste ne recule pas devant l'idée d'aborder des thèmes aussi universels que les cycles de la nature ou la place de l'homme dans l'univers. Si les toiles de Millet étaient controversées, ses dessins rencontrèrent un véritable succès. Ce fut le dessinateur le plus important du XIXe siècle en France. On lui passait commande de dessins, on les collectionnait avec avidité et de très nombreux furent publiés de son vivant. Immédiatement après sa mort, ils furent exposés et vendus aux enchères ; ils furent également reproduits dans la monographie déterminante qu'Alfred Sensier lui consacra en 1881. Millet était un extraordinaire dessinateur du corps humain. Qu'elles soient nues ou habillées, ses figures

17. Jean-Baptiste-Camille Corot
Le Martinet près de Montpellier, 1836
Encre sur crayon sur papier bleu clair, 33,7 × 50,2 cm.
Titre et date inscrits de la main de l'artiste.
METROPOLITAN MUSEUM OF ART, NEW YORK

sont imposantes et sculpturales avec leurs contours marqués et leur modelé puissant à base de lignes [18]. Tracées invariablement à la craie noire ou ses dérivés, elles possèdent généralement une allure majestueuse et dénotent une volonté de célébrer la dignité humaine dont aucun artiste depuis la Renaissance n'avait sans doute fait preuve. Ses dessins de personnages en mouvement ou s'adonnant à des tâches vigoureuses sont aussi impressionnants [19]. Les lignes simulent le rythme de l'action même, conférant aux images un dynamisme intrinsèque. L'encre était souvent réservée aux représentations de paysages.

En dehors de ces dessins préparatoires, Millet créa un grand nombre de dessins destinés aux expositions ou aux ventes. Les plus beaux d'entre eux étaient d'un style ténébriste fondé sur une grande subtilité tonale : l'atmosphère y est celle de la réflexion ou de la rêverie et les formes se dissolvent dans une lumière déclinante [20]. Ce genre d'œuvres eut une grande influence sur le fusain, un genre beaucoup pratiqué au XIXe siècle à la fois en Angleterre et en France. Des Sociétés furent créées pour promouvoir ce type de dessin si particulier que beaucoup d'artistes pratiquaient comme Gustave Courbet, François Bonvin, Léon Lhermitte, Henri Fantin-Latour. Albert Lebourg en exposa lors des quatrième et cinquième expositions impressionnistes de 1879 et 1880. Parmi les artistes de la jeune génération, Seurat, Redon et Eugène Carrière figurent parmi ceux qui bénéficièrent le plus du combat victorieux de Millet en faveur du ténébrisme.

Mais les pastels et dessins à la craie de couleur de l'artiste exercèrent une plus grande influence encore. Il se servit d'abord de ces matériaux pour ses rehauts de couleur puis commença à les utiliser à part entière dans les années 1860 en conjonction avec des papiers de couleur. Ces dessins ont souvent des formats exceptionnellement larges [21]. Comme si souvent chez Millet le public peut deviner dans ses images la saison ou l'heure de la journée. La surface de la feuille est soigneusement recouverte de douces striures ou de petites touches comme si l'artiste n'avait pas encore découvert le véritable potentiel dramatique du matériau. L'un des mécènes de Millet, l'architecte parisien Émile Gavet, lui commanda de nombreux pastels et 95 d'entre eux furent vendus aux enchères en juin 1875 après la mort de Gavet. Parmi ceux qui eurent le privilège de voir les dessins avant la vente se trouvait Van Gogh qui décrivit l'expérience en termes religieux dans une lettre du 29 juin 1875.

C'est en effet de tous les artistes impressionnistes et postimpressionnistes qui s'intéressèrent à Millet Van Gogh qui exprima sa dette le plus ardemment. Il fit des « improvisations » et des « traductions » en couleurs d'œuvres qu'il ne connaissait que sous forme de gravures en noir et blanc. Pissarro, qui peignit de nombreux sujets ruraux, admirait également Millet mais trouvait, en bon anarchiste qu'il était, son travail « juste un peu trop biblique ». La grande attention que Millet accorda à son œuvre graphique constitua cependant le socle à partir duquel eurent lieu les changements dans le dessin vers la fin du siècle.

18. **Jean-François Millet**
Étude pour *Bergère au repos*, 1849
Crayon gras noir sur papier brunâtre, 29,8 × 19,2 cm.
Cachet de l'artiste.
FITZWILLIAM MUSEUM, CAMBRIDGE

19. **Jean-François Millet**
Deux Paysans sciant et fendant du bois, 1850-1851
Craie noire, 40 × 27,9 cm.
ASHMOLEAN MUSEUM, OXFORD

20. **Jean-François Millet**
Crépuscule, v. 1859-1863
Crayon Conté et pastel sur papier chamois, 50,5 × 38,9 cm.
Signé.
MUSEUM OF FINE ARTS, BOSTON

V

Parmi la vaste gamme d'artistes associés à l'impressionnisme et au postimpressionnisme dont les œuvres sont reproduites dans ce livre, trois ont particulièrement repoussé les limites de l'art du dessin dans les dernières décennies du XIXe siècle : Degas, Van Gogh et Cézanne. Le dessin n'était désormais plus confiné au cadre secret de l'atelier en tant que simple outil préparatoire ou considéré comme une pratique superflue. Il était reconnu comme un genre autonome et digne d'être exposé. Peinture et dessin partageaient matériaux et méthodes d'application et les nouveaux effets qui en résultèrent étaient appréciés des organisateurs d'expositions, marchands, critiques et collectionneurs. Cette avancée était le fait des artistes avant-gardistes français et belges mais en aucune manière elle ne profita qu'à eux. Giuseppe de Nittis, par exemple, dont le travail avait été

21. **Jean-François Millet**
Hiver, la plaine de Chailly, v. 1862-1863
Pastel sur papier chamois, 72,4 × 95,9 cm. Signé.
BURRELL COLLECTION, GLASGOW

montré à la première exposition impressionniste de 1874, exposa avec succès au Cercle de l'Union Artistique en 1881 une série de 18 pastels (dont le vaste triptyque *Les Courses à Auteuil*, Galleria Nazionale d'Arte Moderna, Rome) qui flattaient le goût populaire et auxquels certains reprochèrent de trahir les principes de la « nouvelle peinture ». D'autres artistes traditionnels et acceptés par les Salons bénéficièrent du changement de statut du dessin – Henri Gervex, James Jacques Joseph Tissot, Ernest-Ange Duez, Paul-Albert Besnard, Pierre Carrier-Belleuse, Emile Lévy. Ce fut également le cas des artistes de la Belle Époque actifs au tournant du siècle tels que Paul César Helleu, Jacques-Émile Blanche et Giovanni Boldini, qui tous produisirent des pastels dans de larges formats.

Degas choisit d'utiliser le pastel quand il entreprit ses dessins les plus audacieux pendant la seconde partie de sa vie. Il se réfugiait alors de plus en plus dans son atelier, misant sur ses modèles et improvisant à partir d'études antérieures. Il aimait utiliser le pastel car cela revenait selon lui à dessiner en couleurs et lui permettait donc de combiner les éléments clefs de la peinture, un médium qu'il trouvait à la fin de sa vie laborieux et chronophage. Il se consacrait exclusivement à trois sujets : le nu féminin, le ballet et les courses hippiques. Il est intéressant de noter qu'en choisissant le pastel il poursuivait une tradition française solide datant du XVIIIe siècle sur laquelle Edmond et Jules de Goncourt avaient attiré l'attention dans une série de fascicules publiés entre 1859 et 1875 et regroupés plus tard en un volume intitulé *L'Art du dix-huitième siècle*. Ces fascicules étaient entre autres consacrés à Jean-Antoine Watteau, François Boucher, Jean-Baptiste-Siméon Chardin, Quentin de la Tour et Jean-Baptiste Perroneau, et furent à l'origine d'un regain d'intérêt pour leur œuvre. La composition de beaucoup des scènes de ballet de Degas datant des années 1870 peut être analysée à l'aune des *Fêtes galantes* de Watteau, de même que l'utilisation que celui-ci fit de la technique « aux trois crayons » et de figures répétées sur une même feuille de papier annonce les études de ballerines de l'impressionniste. Mais il existe un fossé considérable entre les portraits formels de Quentin de la Tour et Perroneau, ou même les autoportraits de Chardin, et les nus féminins de Degas. L'utilisation d'un médium aussi délicat pour représenter la toilette, la danse ou les course hippiques ne serait en effet jamais venue à l'esprit des artistes du XVIIIe siècle. Comme le critique Théodore Duret l'expliquait en 1894, Degas montre « la femme telle qu'elle est, occupée à ses tâches quotidiennes ou à sa toilette, et nous présente toutes les particularités, d'aucuns diraient les défauts, d'un corps soumis à la vie urbaine ». D'autres artistes participèrent à ce que l'on pourrait appeler la démocratisation du pastel tout en faisant chacun preuve de qualités différentes – la délicatesse dans le cas de Whistler [22], l'éclat dans celui de Guillaumin [23] et la fluidité chez Eva Gonzalès [24].

Van Gogh se tournait également vers le passé quand il réalisait ses dessins à l'encre. Il s'inspirait en particulier de Rembrandt qu'il surnomma « le magicien des magiciens » dans une lettre du 28 décembre 1885. Ce que Van Gogh admirait le plus chez Rembrandt c'était la puissance narrative de ses compositions et son habilité à saisir la détresse humaine. Les premiers dessins à l'encre de Van Gogh réalisés avant son arrivée à Paris fin 1885 sont nerveusement parcourus de nombreuses lignes courtes et d'intenses hachures qui donnent l'impression de regarder à travers un grillage. Les choses changèrent quand l'artiste séjourna en Provence début 1888. C'est là-bas qu'il augmenta dramatiquement sa productivité et qu'il développa un style plus expressif. Il existe une unité styliste parfaite entre ses peintures et ses dessins mêlant travail à l'encre et au pinceau. À la plume il préférait désormais le calame avec lequel il pouvait faire des dessins selon lui plus spontanés. Sa flexibilité permettait d'obtenir des lignes d'une grande variété, puissantes et épaisses ou bien fines et tranchantes. Il devait également être sans cesse rechargé en encre, conférant au processus lui-même une certaine immédiateté. La liberté et la fluidité des dessins que Van Gogh exécuta dans le sud de la France en 1888-1889 ainsi que la grande variété des marques qu'il traçait sur l'intégralité de la feuille de papier conférèrent au dessin une place prééminente que même Rembrandt n'avait pas réussi à lui donner de son vivant [3].

22. **James Abbott McNeill Whistler**
Scène vénitienne, v. 1880
Pastel sur papier brun, 27,9 × 19,1 cm.
Signé d'un papillon.
NEW BRITAIN MUSEUM OF AMERICAN ART, CONNECTICUT

Les avancées décisives que Degas et Van Gogh accomplirent respectivement dans les domaines du pastel et de l'encre, Cézanne les fit dans celui de l'aquarelle. Ce médium n'avait jamais occupé une place centrale dans la tradition française comme c'était le cas en Grande-Bretagne. Durant les années 1820 et 1830 les artistes français réalisèrent l'importance du rôle que l'aquarelle avait joué dans les œuvres de Turner, Constable, David Wilkie et Richard Parkes Bonington. Malgré cela, elle était essentiellement considérée en France comme un exercice de représentation topographique tel qu'on en trouvait dans de somptueux ouvrages collectifs comme *Voyages pittoresques et romantiques dans l'ancienne France* (1820-1878) du baron Isidore Taylor. Des artistes plus tardifs comme Henri Harpignies et Johan Barthold Jongkind qui étaient tous deux liés à l'impressionnisme choisirent de travailler dans la même veine. Ce n'est que chez Victor Hugo, François-Marius Granet, Géricault et Delacroix qu'on décèlera une approche plus novatrice et créative.

Cézanne attachait quant à lui une grande importance à l'aquarelle, un médium qu'il utilisa tout au long de sa vie. Dans les années 1890, il la conçoit comme un complément à ses peintures. Même si d'autres impressionnistes et postimpressionnistes dessinaient à l'aquarelle, aucun ne lui accorda autant de foi que Cézanne pour qui elle servait non seulement parfaitement son propos, qui était de transcrire les sensations dont il faisait l'expérience devant la nature, mais pouvait aussi contribuer ce faisant à modifier la direction que prenait l'art.

Cézanne exposa trois des aquarelles de ses débuts à la troisième exposition impressionniste de 1877 ; celles de sa maturité ne furent montrées dans des expositions que vers la fin de sa vie ou immédiatement après sa mort. Sa méthode consistait à l'origine à appliquer l'aquarelle en conjonction avec le crayon mais dès les années 1890 les lignes au crayon ne servent plus qu'à bâtir une armature. Des touches d'aquarelle sont ensuite appliquées sur et autour des marques au crayon, ce qui crée un motif imbriqué et établit des intervalles spatiaux. La disposition réfléchie de chaque coup de

23. **Armand Guillaumin**
Paysage avec arbres et rochers et essais de couleurs, 1872
Pastel, 25,9 × 39,2 cm. Signé et daté.
PETIT PALAIS, MUSÉE DES BEAUX-ARTS DE LA VILLE DE PARIS

24. **Eva Gonzalès**
La Modiste, v. 1877
Pastel et aquarelle sur toile, 45 × 37 cm. Signé.
THE ART INSTITUTE OF CHICAGO

pinceau sur les zones vides crée une sensation de tridimensionnalité et une atmosphère prégnante. Les motifs paysagers sont modelés dans des couleurs qui semblent se fondre dans l'espace environnant (page de titre). La qualité architecturale des compositions est telle que si une mauvaise décision est prise l'ensemble de la structure risque de s'effondrer. Cézanne utilise par ailleurs la couleur de manière très variée – elle peut tout aussi bien être diluée ou appliquée en aplats. Les traits de pinceau sont parfois si transparents qu'ils semblent comme flotter sur la surface de la feuille. Le tout est d'une majestueuse grandiloquence mais aussi d'une économie admirable. Rien n'est souligné à outrance mais rien n'est non plus minimisé.

C'est à force d'acharnement que Cézanne acquit ce niveau de talent et le conserva. Ses aquarelles sont d'une splendeur presque baroque même si leurs sujets demeurent modestes. L'artiste s'efforçait de fixer la nature définitivement sur le papier sans pour autant dénier son éclat. Il savait que cette mission était pour ainsi dire vouée à l'échec puisque la nature évolue constamment et défie donc toute notion de permanence et que son médium de prédilection – l'aquarelle – était parmi les plus fugaces.

Les dessins de Degas, Van Gogh et Cézanne eurent une influence décisive sur la plus jeune génération. Les expériences techniques auxquelles ils s'adonnèrent, les innovations qu'ils accomplirent et les avancées qu'ils firent libérèrent l'art et créèrent des opportunités pour les autres artistes dans un esprit de grande liberté. L'élévation du dessin pendant la seconde moitié du XIXe siècle au même rang que celui de la peinture s'avéra extrêmement catalyseur. Les artistes avaient désormais le choix, une plus grande liberté et des possibilités infinies. Le dessin avait ouvert la voie à la modernité.

Eugène Boudin

1824-1898

Eugène Boudin présenta des toiles, pastels et aquarelles lors de la première exposition impressionniste de 1874. Âgé de cinquante ans, l'artiste avait enfin acquis de haute lutte le statut d'artiste reconnu. Sa présence était à bien des égards un hommage rendu à sa contribution à la naissance de l'impressionnisme. Boudin ne s'était pas contenté de soutenir le jeune Monet rencontré au Havre en 1856-1857 ; il avait surtout montré l'exemple par son choix de sujets et ses pratiques de travail. Grâce aux méthodes, priorités et idées de celui qui n'était pourtant en aucun cas un avant-gardiste lui-même, de jeunes artistes avaient cru en leurs ardentes aspirations de liberté artistique. Boudin était le Palinure de l'impressionisme bien que, contrairement au timonier qui dans l'*Énéide* de Virgile guide Énée lors de la traversée de la mer Égée, il ait connu une longévité extraordinaire. Né à Honfleur sur la côte normande et ayant fait ses études au Havre, il se décrivait lui-même comme un homme qui n'aimait que l'eau de mer. Son père était marin et sa mère travaillait sur les bateaux à vapeur qui commerçaient d'un port à l'autre sur la

Paul César Helleu
Boudin peignant sur la jetée à Trouville, 1894
Pointe sèche, 28,1 × 20 cm.
DETROIT INSTITUTE OF ARTS

côte nord de la France. Il ne devint pas immédiatement artiste : après avoir passé lui aussi une courte période en mer, il devint associé dans une papeterie qui fournissait également du matériel pour artistes et exposait parfois des œuvres. Bien qu'il se soit rendu pour la première fois à Paris en 1847 et qu'il y soit retourné en 1851, il ne fréquenta aucun des grands ateliers de la capitale et était principalement autodidacte. Il était extrêmement fier de ses origines géographiques et affichait un soutien indéfectible pour les multiples centres artistiques de province. En 1887 il expliqua qu'il était un « isolé, un rêvasseur qui s'est trop complu à rester dans son coin et à regarder le ciel ». Mais beaucoup d'artistes furent attirés par la Normandie à partir des années 1850 et Boudin bénéficia de ses rencontres avec Jean-Baptiste-Camille Corot, Jean-François Millet, Constant Troyon, Gustave Courbet, Théodule Ribot et Johan Barthold Jongkind, qui tous fréquentaient l'auberge de la Ferme Saint-Siméon sur les hauteurs de Honfleur avec sa vue imprenable sur la mer.

Boudin était indubitablement un peintre marin par nature mais il avait bien d'autres centres d'intérêt que les seuls paysages de mer ; il s'intéressait par exemple à l'activité portuaire (p. 45) ou encore aux événements locaux – mariages et fêtes religieuses – des régions côtières normandes et bretonnes (p. 44). Si l'on étudie en détail la liste des lieux peints par Boudin on découvre que malgré sa grande loyauté à l'estuaire de la Seine, il a beaucoup voyagé, y compris en dehors de France. Combinée à une discipline de fer et à un goût du labeur, sa multitude de centres d'intérêt explique la productivité extraordinaire de Boudin : 4000 toiles, 7000 dessins, aquarelles et pastels, la plupart de petit format. Une des raisons pour lesquelles l'artiste rencontra finalement le succès – auquel le soutien du marchand Paul Durand-Ruel ne fut pas par ailleurs étranger – est sa reconnaissance (à contrecœur il est vrai) de l'importance de Paris où chaque hiver il créait des toiles inspirées des motifs qu'il avait consignés dans ses carnets de croquis et dessins durant l'été. Boudin convenait que l'art ne pouvait pas s'inventer seul depuis une province reculée et qu'il avait besoin de critiques, de collègues artistes et d'admirateurs. C'est à Paris que ceux-ci se trouvaient et Boudin fut récompensé par de nombreuses expositions au Salon.

L'artiste que l'on peut le plus rapprocher de Boudin est Johan Barthold Jongkind. D'origine hollandaise, Jongkind était aussi considéré comme un précurseur de l'impressionniste. Les deux hommes étaient des aquarellistes talentueux, explorateurs de ports et de paysages marins et terrestres sous des ciels immenses et dramatiques. Mais Boudin dépassa Jongkind dans deux domaines : d'une part les scènes de plage qui lui semblaient « une reproduction assez sincère du monde de notre époque » et d'autre part les pastels qui lui valurent l'admiration de Baudelaire. Installé la plus grande partie de l'année dans des stations balnéaires telles que Trouville ou Deauville, Boudin se trouvait dans une position idéale pour observer la popularité grandissante de tels lieux dans les années 1860. Ce succès tenait en partie aux liens resserrés entre Paris et la côte grâce aux progrès dans le domaine des transports, en particulier du chemin de fer, ainsi qu'à la nouvelle mode des vacances d'été à la mer. Adolphe Joanne, auteur de nombreux guides de voyage, disait de Trouville que c'était « Paris transporté pendant deux ou trois mois aux bords de l'océan avec ses qualités, ses ridicules et ses vices ». Les bénéfices thérapeutiques prêtés à ces stations balnéaires n'étaient pas directement liés, comme ils pourraient l'être aujourd'hui, à l'exposition au soleil mais à l'air frais et aux bains de mer. L'exode annuel des privilégiés parisiens, dont beaucoup de membres de la cour de Napoléon III, transformait ce qui était à l'origine d'humbles villages de pécheurs en stations de vacances. Hôtels, villas, casinos et établissements de loisirs y proférèrent.

Boudin finit lui-même par être partagé au sujet d'une telle évolution, appelant les vacanciers des « parasites dorés » même s'il tirait un avantage financier de leur représentation dans ses nombreuses œuvres très admirées (p. 43). On y voit généralement des silhouettes au loin se détachant devant des ciels imposants et éclairées par une lumière vive venue de la mer. Elles sont rassemblées en petits groupes ou dispersées sur le sable. Vêtues formellement et protégées par des parasols, elles fixent la mer d'un air absent, observent le ciel ou admirent les bateaux. Des cabines de plage, stratégiquement disposées, permettent de diviser les compositions tandis qu'enfants et chiens animent l'ensemble. Mais ce que Boudin savourait le plus, c'était l'éclat du spectacle qui s'offrait à ses yeux et qu'il exprimait à l'aide de touches de couleurs vives : crinolines ondulant, rubans de chapeau dans le vent, ombrelles penchant dangereusement à l'arrivée d'une brise soudaine. Son but était de retrouver la spontanéité de ce qu'il avait enregistré sur le papier.

Si les scènes de plage étaient l'œuvre d'un maître marionnettiste, ses pastels étaient pareils à la foudre de Jupiter. Le médium est utilisé avec une vigueur surprenante et le résultat – tout particulièrement dans les scènes de foire et de marché (pp. 39 et 42) – est d'une grande force de par la vivacité des couleurs et la puissance du coup de pinceau. Les vues du ciel si nombreuses à ses débuts sont encore plus dramatiques (pp. 40-41) et il est possible que Boudin ait eu connaissance des représentations similaires du ciel et de la mer créées par Delacroix à l'aquarelle et au pastel. Baudelaire était particulièrement sensible à la démarche de Boudin. Dans sa critique du Salon de 1859 il raconte que lors de sa visite à l'atelier de l'artiste au Havre il a vu d'innombrables « prodigieuses magies de l'air et de l'eau », dont beaucoup comportent la mention de la date, de l'heure et de la direction du vent, rappelant les études de nuages de John Constable du début des années 1820. Peu à peu, Baudelaire est submergé par les pastels de Boudin « [avec leurs] formes fantastiques et lumineuses, ces ténèbres chaotiques, ces immensités vertes et roses, suspendues et ajoutées les unes aux autres, ces fournaises béantes, ces firmaments de satin noir ou violet, fripé, roulé ou déchiré, ces horizons en deuil ou ruisselants de métal fondu, toutes ces profondeurs, toutes ces splendeurs, me montèrent au cerveau comme une boisson capiteuse ou comme l'éloquence de l'opium ».

Paysans menant des vaches et troupeau, v. 1854-1860
Pastel sur papier gris, 15,1 × 22 cm.
MUSÉE DU LOUVRE (COLLECTION MUSÉE D'ORSAY), PARIS

Eugène Boudin

Nuages blancs au-dessus de l'estuaire, v. 1854-1860
Pastel, 15 × 20 cm.
MUSÉE EUGÈNE BOUDIN, HONFLEUR

Ciel d'orage, v. 1854-1860
Pastel, 21,5 × 28,6 cm.
MUSÉE DU LOUVRE (COLLECTION MUSÉE D'ORSAY), PARIS

Eugène Boudin

Marché aux poissons, v. 1859
Pastel sur papier gris bleuté, 22 × 32 cm.
MUSÉE EUGÈNE BOUDIN, HONFLEUR

Personnages sur la plage, v. 1865-1870
Aquarelle, 14 × 24 cm. Cachet de l'artiste.
NEW ART GALLERY WALSALL

Eugène Boudin

Vue d'un calvaire breton, v. 1866-1867
Crayon et aquarelle, 17,8 × 14,7 cm.
MUSÉE DU LOUVRE (COLLECTION MUSÉE D'ORSAY), PARIS

Voiliers, v. 1875-1880
Crayon et aquarelle, 15,5 × 22,6 cm.
MUSÉE DU LOUVRE (COLLECTION MUSÉE D'ORSAY), PARIS

Camille Pissarro

1830–1903

Camille Pissarro est une figure centrale de l'histoire de l'impressionnisme. C'est le seul artiste dont les œuvres furent montrées à chacune des huit expositions impressionnistes qui eurent lieu entre 1874 et 1886, mais il joua aussi un rôle de médiateur entre les différentes factions qui s'étaient formées au cours du développement du mouvement et encouragea l'arrivée d'artistes plus jeunes dans le groupe. Pissarro était par ailleurs un artiste très complet : il s'intéressait à des thèmes à la fois urbains et ruraux et s'adonnait à la peinture de figures comme de paysages. Malgré cela, écrivit-il dans une lettre de 1895 à son fils aîné, il sentait qu'il était « comme une queue de l'impressionnisme ».

Homme de principes, qu'il exposait souvent dans sa correspondance, Pissarro était très respecté. Cézanne le qualifiait d'« humble et colossal » tandis que d'autres utilisaient des appellations bibliques telles que « Dieu le Père » ou « Moïse » qui convenaient à son aspect patriarcal. Mary Cassatt résuma son influence par ces mots : « Pissarro était un tel professeur qu'il eût appris aux pierres à dessiner correctement ! »

Paul Gauguin et Camille Pissarro
Double Portrait de Gauguin et Pissarro : Portrait de Pissarro par Gauguin (détail), v. 1880
Fusain et crayons de couleur, 31,5 × 48,5 cm.
MUSÉE DU LOUVRE (COLLECTION MUSÉE D'ORSAY), PARIS

L'importance de Pissarro provient du fait qu'il constitua le lien déterminant entre les artistes du milieu du XIXe siècle associés à l'École de Barbizon, tels Corot, Millet et Daubigny, et des artistes du siècle suivant comme Matisse et Picabia. Il travaillait aux côtés de Cézanne mais il fut également un grand soutien du talent bourgeonnant de Seurat, Signac, Gauguin et Van Gogh, partageant leur intérêt pour les questions techniques et pendant un temps leurs points de vue politiques radicaux. Tous les artistes avant-gardistes importants ont pour ainsi dire consulté Pissarro en raison non seulement de sa digne personnalité mais aussi de la qualité continue de son travail qui, selon Zola dès 1866, possédait « un souci extrême de la vérité et de la justesse, une volonté âpre et forte ». Il semblerait que Pissarro ait à la fois fait figure de vétéran et d'enfant terrible.

Les origines de cet artiste sont inhabituelles. Il est né dans les Caraïbes, sur l'île Saint-Thomas dans les îles Vierges, à l'époque colonie danoise. Il ne devint jamais officiellement citoyen français. Sa famille était juive d'origine portugaise avec de forts liens avec la France. La prédilection de Pissarro pour l'art se manifesta à Saint-Thomas où il fut initié aux rudiments de la tradition académique européenne par l'artiste danois Fritz Melbye. Beaucoup de dessins nous sont parvenus de cette période pendant laquelle il passa aussi deux ans au Venezuela, où lui et Melbye partagèrent un atelier à Caracas. La lumière étincelante et les couleurs éclatantes des Caraïbes étaient un décor absolument idéal pour un peintre impressionniste en herbe mais beaucoup des motifs qu'il commença à expérimenter là-bas annonçaient ceux qu'il allait aborder en France. *Le Pont à Caracas* (p. 50) dénote un sens considérablement sophistiqué de la composition, l'artiste étant posté à une légère distance dans le lit de la rivière. Quelques silhouettes traversent le pont et d'autres lavent des vêtements dans l'eau. La liberté avec laquelle l'aquarelle est appliquée pour représenter les feuilles du palmier qui domine le pont à gauche dénote le plaisir avec lequel Pissarro s'attaquait à la végétation luxuriante des Tropiques.

À son arrivée définitive en France en 1855, Pissarro avait la liberté de choix mais il ressentit très vite de grandes affinités avec les artistes de l'École de Barbizon qui étaient intimement associés à la forêt de Fontainebleau et créaient principalement des paysages ou des scènes rurales. *La Cueillette des pommes* (p. 51) démontre l'influence de cette École tout en étant un bon exemple du talent inné de Pissarro pour les compositions équilibrées et de sa grande assurance dans la manipulation du pastel, en particulier dans le dense hachurage du feuillage des arbres. Le sujet plaisait particulièrement à Pissarro qui choisit aussi finalement de s'éloigner de la capitale. Il résida d'abord dans des petits villages le long de la Marne et de la Seine où il représentait souvent, comme Monet, Renoir et Sisley, des scènes de loisirs. Pendant une grande partie des années 1870, après un exil volontaire à Londres pour fuir la guerre avec la Prusse et la Commune de Paris, il vécut dans la ville médiévale de Pontoise à une trentaine de kilomètres au nord-ouest de Paris qu'il avait déjà explorée avec bonheur à la fin des années 1860. Il s'éloigna finalement encore plus de la capitale en 1884 et s'installa dans le petit village d'Éragny-sur-Epte en Normandie près de Rouen. C'est dans ces régions rurales que Pissarro trouva les sujets qui correspondaient le plus à son tempérament : champs, vergers, moissons, jardins potagers et marchés.

Il fit néanmoins en sorte de ne pas totalement se détourner de Paris puisque c'était principalement là qu'il écoulait ses œuvres. *Boulevard Rochechouart* (p. 52), qui était inclus dans la sixième exposition impressionniste de 1882, surprit tout le monde étant donné que la majorité des œuvres qu'il exposait abordaient des sujets ruraux. Observée en légère plongée, la rue est immergée dans une lumière hivernale évoquée par un éventail de couleurs – violet, jaune, orange, rose, vert, pourpre. Les formes sombres des bus et fiacres tirés par des chevaux au premier plan contrastent avec les effets décolorés du sol gelé, les façades des immeubles et le ciel translucide. La composition elle-même repose sur une forte perspective, soulignée par la rangée d'arbres encadrée par les bâtiments des deux côtés. Grâce à cette technique l'artiste rend l'éphémère permanent et il continua de représenter des paysages urbains de ce type, souvent en séries, à Rouen, Paris, Dieppe et au Havre, en particulier dans les années 1890.

Pissarro fut d'abord considéré principalement comme un peintre de paysages puis, au début des années 1880, il suivit la voie de Degas et commença à créer des compositions où la figure tenait une place plus importante. Il s'agissait principalement de scènes rurales montrant des gens travaillant ou se reposant dans les champs ou encore allant au marché. En préparation de ces œuvres il exécutait des études sur le motif dans des carnets de croquis et faisait poser des modèles – plus souvent des habitants de la région que des professionnels – pour des dessins au format beaucoup plus large. Les dessins d'atelier tels que *Femme vue de dos* (p. 53) sont d'une échelle monumentale et offrent des perspectives inhabituelles. À l'intérieur de contours épais et renforcés se trouvent des zones de modelé d'un grand brio rehaussées à la craie de couleur. Pissarro concevait ces dessins avec une idée spécifique de la composition en tête et il les déclinait souvent – une pratique que l'artiste adopta jusque dans les années 1890. Dans *Deux Études d'une jeune fille* (p. 57), le même modèle est représenté dans deux positions sur la même feuille. Les œuvres finales n'étaient pas forcément des huiles ; ce pouvait être des temperas ou des gouaches comme *La Place du marché, Pontoise* (p. 54, en haut), plus faciles à produire et débouchant donc sur une plus grande productivité avantageuse commercialement.

Les artistes échangeaient à l'époque beaucoup à propos de l'évolution de leur œuvre à la fois en termes de contenu et de style. Les plus jeunes comme Seurat élargirent le débat en défendant une approche plus scientifique, fondée sur la théorie de la couleur et sur une technique plus contrôlée – appelée pointillisme ou divisionnisme – qui se détournait de la notion de spontanéité. Pissarro était favorable à de telles théories dans la mesure où elles lui permirent de réévaluer son propre style à un moment critique pour lui et il produisit dans la seconde partie des années 1880 beaucoup d'œuvres dans un style néo-impressionniste. Les motifs du *Marché aux cochons, foire de Saint-Martin, Pontoise* (p. 54, en bas) sont formés à partir de nombreux points exécutés à la plume. Les variations de lumière et de ton sont rendues grâce à la plus ou moins grande densité des points. L'aspect le plus remarquable de ce style est la retenue dont l'artiste doit faire preuve pour conserver la clarté des formes ou la lisibilité de la composition.

Le pointillisme a peut-être permis à Pissarro de se débarrasser de ce qu'il percevait comme des impuretés dans son propre style mais il a aussi nui à la véritable expression de ses sensations et ralenti sa productivité. En conséquence, Pissarro tourna son attention vers les aquarelles. Créées pour la plupart dans les environs d'Éragny-sur-Epte, elles traduisent les changements de saison, le froid perçant de l'hiver ou encore la chaleur accablante de l'été (p. 55).

De tous les impressionnistes Pissarro était le plus politisé. Il lisait Pierre-Joseph Prudhon, le prince Pierre Kropotkine et Élisée Reclus et était lié à des revues telles que *La Plume*, *La Révolte* et *Les Temps Nouveaux*. Mais même s'il professa des idées anarchistes et qu'il dut s'exiler en Belgique en 1894 pendant trois mois au plus fort des violences anarchistes parisiennes, il croyait aussi de façon plus réaliste à l'autonomie de l'individu et à la nécessité d'éliminer les injustices sociales et économiques par des moyens évolutionnaires et non révolutionnaires. Pour illustrer ses croyances politiques, il rassembla pour ses nièces Esther et Alice Isaacson 28 dessins à l'encre dans un album qu'il intitula *Turpitudes sociales* (1889-1890). Sur la page de titre (p. 56), il dessina une figure barbue assise (en fait un autoportrait) surveillant Paris. Le soleil, représentant une nouvelle aube se levant sur la ville, est surplombé du mot « anarchie » tandis que la tour Eiffel fraichement édifiée pour l'Exposition universelle de 1889 tente en vain de bloquer ses rayons. Les dessins qui suivent illustrent les inégalités sociales sous la IIIe République provoquées principalement par le maintien du capitalisme. Le style est caricatural par son énergie et son exagération et le contenu est inspiré d'illustrations trouvées dans des revues de l'époque.

Jusqu'à quel point les idées politiques de Pissarro, bien connues en dehors de sa famille, sont-elles apparentes dans ses toiles est un sujet controversé. L'équilibre entre scènes urbaines et rurales n'est certainement pas calculé délibérément pour suggérer que la vie serait meilleure à la campagne ou à la ville. Il est néanmoins évident que Pissarro avait une préférence pour la première. *Rameuses de pois* (p. 56, en bas) est par exemple une ode aux vertus du travail agricole. Le format en éventail du dessin correspond au désir des impressionnistes de produire des œuvres utilitaires mais c'est l'activité qu'il représente que Pissarro apprécie le plus. Le décor est luxuriant, l'effort collectif, le produit mutuellement bénéfique et l'action magnifiquement chorégraphiée – un véritable projet pour la société du futur. Comme il l'a écrit à son fils aîné en avril 1890 : « Le remède est dans la nature, plus que jamais. »

Camille Pissarro

Le Pont à Caracas, 1854
Aquarelle sur crayon, 24 × 30,5 cm. Signé et daté.
NATIONAL GALLERY OF ART, WASHINGTON, DC

La Cueillette des pommes, 1870-1875
Pastel avec craie noire et blanche sur papier chamois coloré,
34,2 × 49,4 cm. Cachet de l'artiste.
YORK ART GALLERY

Camille Pissarro

Boulevard Rochechouart : effet de soleil d'hiver, 1880
Pastel, 59,9 × 73,5 cm. Signé et daté.
STERLING AND FRANCINE CLARK ART INSTITUTE, WILLIAMSTOWN, MASSACHUSETTS

Femme vue de dos, tête de profil vers la droite, bras devant, portant un tablier, 1881
Craie noire, bleue et blanche sur papier gris, 44,5 × 31,3 cm.
BRITISH MUSEUM, LONDRES

La Place du marché, Pontoise, 1882
Gouache sur papier, 80,6 × 64,8 cm.
Signé et daté.
METROPOLITAN MUSEUM OF ART, NEW YORK

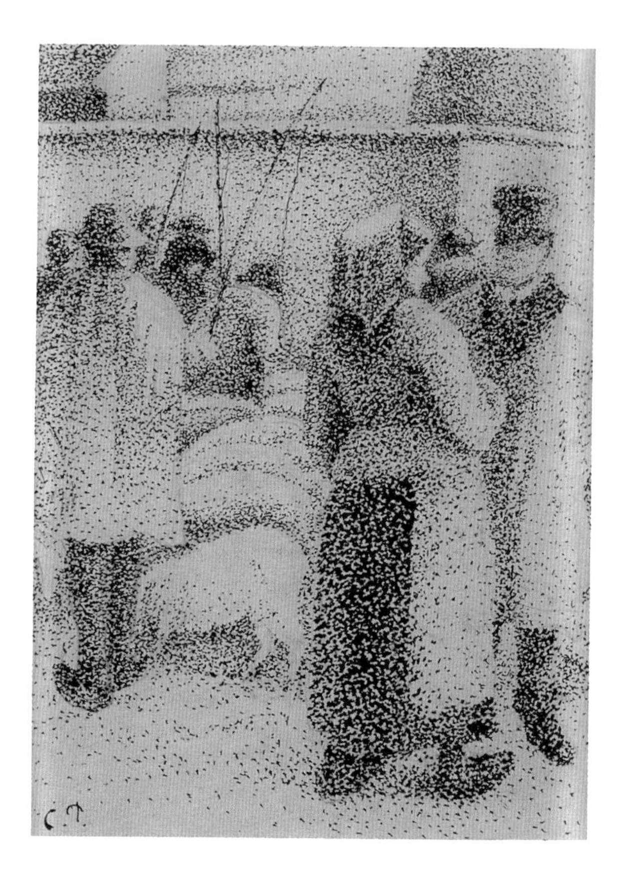

Camille Pissarro

Marché aux cochons, foire de Saint-Martin, Pontoise, 1886
Encre sur crayon, 17,5 × 12,7 cm. Signé.
MUSÉE DU LOUVRE (COLLECTION MUSÉE D'ORSAY), PARIS

Étude du verger dans la maison de l'artiste à Éragny-sur-Epte, v. 1890
Aquarelle sur crayon, 28,3 × 22,5 cm. Cachet de l'artiste.
ASHMOLEAN MUSEUM, OXFORD

Turpitudes Sociales, 1889-1890
Encre brune sur papier glacé avec traces de crayon,
31,5 × 24,5 cm. Titré, signé et daté de la main de l'artiste.
COLLECTION OF JEAN BONNA, GENÈVE

Camille Pissarro

Rameuses de pois, 1890
Gouache avec traces de craie noire sur papier brun,
40,7 × 64,1 cm. Signé et daté.
ASHMOLEAN MUSEUM, OXFORD

Deux Études d'une jeune fille, v. 1895
Craie noire et pastel sur papier rose, 47,6 × 61,8 cm.
NATIONAL MUSEUM OF WALES, CARDIFF

Édouard Manet

1832–1883

La principale caractéristique de l'œuvre dessiné d'Édouard Manet est sa diversité. Abordant une grande gamme de sujets (Manet pratiqua même l'illustration de livre) et dotés d'une grande virtuosité stylistique, ses dessins allient une curiosité sans bornes à une grande maîtrise technique. Ils sont à cet égard les pendants de ses toiles qui, en s'attaquant à des thèmes contemporains et en associant différents genres, ont provoqué de vives critiques mais ont aussi bouleversé l'art de façon décisive. Des œuvres telles que *Musique au Jardin des Tuileries* (1862, National Gallery, Londres), *Déjeuner sur l'herbe* (1863, Musée d'Orsay, Paris), *Olympia* (1863, Musée d'Orsay, Paris), *Nana* (1877, Kunsthalle, Hambourg) et *Un bar aux Folies-Bergère* (1881-1882, Courtauld Gallery, Londres) se tiennent à l'orée du modernisme.

En tant qu'homme et artiste, Manet présentait plusieurs paradoxes. Privilégié de par sa naissance et son éducation, il a constamment cherché à faire accepter son art par les milieux officiels tout en étant associé dans l'esprit du public à l'avant-garde.

Edgar Degas
Édouard Manet, assis, tenant son chapeau, v. 1865
Graphite et craie noire, 33,1 × 23 cm.
METROPOLITAN MUSEUM OF ART, NEW YORK

Il a développé un style qu'il pensait, par sa franchise et son engagement, approprié pour représenter des scènes contemporaines, tout en veillant à respecter la tradition. Il fréquentait les mêmes bars et cafés que les impressionnistes et leurs soutiens mais son style vestimentaire immaculé et ses manières raffinées le plaçaient quelque peu à part des cercles bohèmes. De fait, les nombreux portraits faits de Manet lui confèrent les attributs du « flâneur » par excellence, déambulant dans les rues de Paris en observant le monde attentivement mais avec dédain. Bien qu'il fût considéré comme le chef honorifique des impressionnistes, Manet n'exposa jamais avec eux et resta fidèle au Salon, et ce en dépit du grand nombre de ses œuvres rejetées par les jurys successifs. En dehors de partisans influents tels que les poètes Baudelaire et Mallarmé, il avait des amis haut placés et fut nommé Chevalier de la Légion d'honneur l'année précédant sa mort.

Manet choisit de vivre et travailler dans le nord de Paris. Il s'installa d'abord jusqu'au milieu des années 1860 aux Batignolles, alors en pleine transformation, puis dans le nouveau quartier de l'Europe près de la gare Saint-Lazare. L'urbanisation de cette partie de Paris qui se faisait dans le cadre du grand projet du baron Haussmann marqua l'émergence d'une ville moderne sortie de sa chrysalide médiévale. Le quartier était à la mode, offrant des sujets que l'artiste trouvait séduisants et auxquels il pourrait rendre justice grâce à son style sans compromis. Dans son appartement de la rue Saint-Pétersbourg il organisait régulièrement des soirées fréquentées par les grandes figures politiques et culturelles qui partageaient ses opinions républicaines. Il invitait aussi mécènes, critiques et amis à voir ses œuvres dans son atelier tout proche.

Jeune, Manet avait été encouragé à poursuivre une carrière dans la marine mais ses parents, réalisant qu'il avait un don pour l'art, l'autorisèrent en 1850 à intégrer l'atelier de Thomas Couture où il resta pendant six ans malgré beaucoup de hauts et de bas dans sa relation avec son professeur. Couture était un peintre académique dont la vaste toile *Les Romains de la décadence* (Musée d'Orsay, Paris) avait remporté un vif succès au Salon de 1847, mais ce n'était pas le genre d'œuvre qui inspirait Manet. Le choix du médium, les contours affirmés et le modelé ferme de sa *Femme assise* (p. 62) dénotent cependant la dette du jeune Manet envers Couture tandis que la pose et un puissant sens de la forme indiquent une approche plus radicale de la production en atelier.

Manet renforça son apprentissage artistique en faisant de nombreuses copies d'œuvres de maîtres anciens soit à Paris soit lors de ses voyages aux Pays-Bas, en Italie et en Espagne. Beaucoup de ces copies (Introduction, fig. 12) sont des détails de compositions et frappent par leur précision et leur adresse. La spontanéité et l'habileté à saisir un moment déterminant devinrent les principales caractéristiques du style de Manet, de même que la présentation limpide du sujet chez les maîtres anciens l'inspirait dans ses représentations de scènes contemporaines. Manet se servit du passé comme d'un cheval de Troie pour établir la primauté du modernisme. Par exemple le dessin *La Toilette* (p. 63), exécuté avec un médium traditionnel – la sanguine – et inspiré d'une gravure, est une fusion parfaite de l'ancien et du nouveau dans la mesure où la résonnance biblique du sujet, qui rappelle Moïse sauvé des eaux, Suzanne ou Bethsabée, a été mise au service de l'évocation du quotidien.

Le choix et le traitement du médium ainsi que la variété de raisons pour lesquelles Manet faisait des dessins sont indicatifs de l'originalité de son talent de dessinateur. Comme la craie noire ou la sanguine, le pastel était un médium très apprécié des artistes français du XVIIIe siècle mais Manet trouvait que sa facilité d'application et ses vifs contrastes de couleurs convenaient au rythme et au propos de ses œuvres. *Portrait de Madame Manet sur un canapé bleu* (p. 66, en haut) est un pastel de ses débuts. L'artiste a manipulé les tons chauds et froids avec une grande maîtrise tout en utilisant le piquant des noirs pour accentuer les rubans du chapeau et les chaussures. Peut-être a-il voulu faire ici un clin d'œil ironique à la pose de son Olympia nue.

Manet produisit de plus en plus de pastels pendant les dernières années de sa vie car il était diminué par une syphilis tertiaire qui allait conduire à l'amputation de sa jambe gauche dix jours avant sa mort. Son exposition personnelle dans les locaux de la revue *La Vie moderne* en 1880 incluait quinze pastels dont *Les Buveuses de bière* (p. 67) au traitement particulièrement audacieux. Les femmes sont au premier plan, assises tout prêt l'une de l'autre, presque à angle droit. Nous les voyons en gros plan comme si nous étions assis à la table voisine, la femme à gauche de profil et celle de droite penchée dramatiquement vers nous. Leur proximité physique est accentuée par la diagonale du verre levé tandis que l'autre verre est aligné sur la verticale formée par le visage de la femme regardant vers le bas. Cette composition reflète l'extraordinaire sens de la concision de Manet qu'il devait à l'acuité de son regard et à sa rapidité d'exécution.

La plupart des pastels de Manet sont des portraits – de femmes plus souvent que d'hommes. Celui du romancier irlandais George Moore (p. 68) a été exécuté en une seule séance. Il se distingue par la subtilité des gris et noirs sur les habits ainsi que par son fond sur lequel se détachent les tons clairs du visage. Manet refusa de procéder aux changements exigés par Moore : « Est-ce que c'est ma faute à moi si Moore a l'air d'un jaune d'œuf écrasé et si sa binette n'est pas d'ensemble ? », remarqua-t-il dédaigneusement. *Mademoiselle Suzette Lemaire* (p. 69) symbolise en revanche le traitement plus favorable que Manet réservait à ses amies femmes. Le modèle, amie intime de Marcel Proust, est représenté avec une économie remarquable. Ses traits délicats se détachent sur un fond rose alors que son fichu est directement dessiné sur la toile nue, le nœud suggérant un buste sculpté.

Manet s'est intéressé aux expérimentations tout au long de sa carrière. La fidélité de ses débuts au crayon et à la craie correspondait à la hiérarchie rigide imposée par le système académique mais même s'il continua à utiliser le crayon dans ses carnets de croquis, il commença dès le début des années 1860 à préférer la plume et le pinceau en combinaison avec l'encre, le lavis et l'aquarelle. Cela lui permettait de travailler plus vite, d'expérimenter avec plus de liberté, de mélanger les médiums plus facilement et d'aborder plus efficacement les éléments éphémères qu'il considérait comme les caractéristiques principales de la vie moderne. *Le Ballet espagnol* (p. 64) est un dessin en technique mixte dans un style caricatural reflétant l'exubérance de cette célèbre troupe de danseurs. En hispaniste dévoué, Manet avait eu à cœur de garder une trace d'un de leurs spectacles et exécuta ce dessin préparatoire dans le cadre de la création d'une toile.

De tels dessins préparatoires sont rares dans la production de Manet. Il accumulait plutôt en général ses idées sur des feuilles ou dans des carnets de croquis, tels des éléments menant à une composition finale qu'il pourrait encore modifier sur la toile ou, s'il s'agissait d'une gravure, sur la plaque de métal ou la pierre lithographique. Avec *Rue Mosnier sous la pluie* (p. 66, en bas), il nous propose une vue depuis son atelier de la rue de Saint-Pétersbourg de l'une des nouvelles petites rues (l'actuelle rue de Berne) qu'il a représentée dans trois toiles. Il a recouvert ici ses indications au crayon de souples traits au pinceau afin de traduire le mouvement dans la rue en contrebas : le balancement des calèches, l'inclinaison des parapluies, la lumière changeante et les reflets sur les surfaces mouillées glissantes sont tous indicatifs d'un monde en mouvement constant. Le style, influencé par l'art japonais, ne se limite pas à une simple description : la vitesse et l'énergie de l'exécution traduisent une partie de l'énergie cinétique dont l'artiste est témoin.

La Barricade (p. 65) est d'une complexité similaire. Manet servait dans la garde nationale durant le siège de Paris pendant la guerre franco-prussienne et assista au bain de sang de 1871 quand la Commune fut violemment réprimée par le gouvernement républicain replié à Versailles. Il commença par faire un calque de sa lithographie de l'*Exécution de l'empereur Maximilien* (1868) et l'adapta à la situation parisienne. C'est la tendance qu'avait Manet de passer d'un médium à l'autre dans le cadre du processus créatif qui illustre le mieux sa capacité à remettre en cause les hiérarchies existantes. Le concept de réutilisation est aussi manifeste dans nombre de ses aquarelles dont les lignes sont d'abord tracées d'après des photographies de ses toiles avant d'être recouvertes d'aquarelle.

La condition physique de l'artiste commença à se détériorer sérieusement en 1880. Il fit des cures entrecoupées de longues périodes de repos dans la banlieue de Paris . Désormais plébiscité pour son œuvre, il peignait avec beaucoup de difficultés mais produisit des toiles aussi remarquables qu'*Un bar aux Folies-Bergère* mais aussi des natures mortes magiques de plus petite échelle représentant des vases de fleurs. En dehors des aquarelles beaucoup des derniers dessins de Manet sont des vignettes illustrant de courtes lettres de l'artiste à ses amis (pp. 70-71) les invitant à lui rendre visite ou leur demandant de ne pas l'oublier pendant ses absences forcées de la capitale. Ces croquis dénotent l'œil de Manet pour les détails et, même pendant cette période de grande détresse, son humour. Ils sont l'essence même de cet homme qui un jour confessa à l'une de ses modèles les plus en vue dans la société, mademoiselle Isabelle Lemonnier : « Rien ne m'étonne et tout me surprend. ».

Édouard Manet

Femme assise, v. 1859
Fusain, 54,5 × 41 cm. Signé.
COLLECTION PARTICULIÈRE

La Toilette, 1860-1861
Sanguine avec quelques incisions, 28 × 20 cm. Signé.
THE ART INSTITUTE OF CHICAGO

Édouard Manet

Le Ballet espagnol, 1862-1863
Encre avec lavis, aquarelle et gouache, 23,3 × 41,5 cm. Signé.
MUSÉE DES BEAUX-ARTS, BUDAPEST

La Barricade, 1871
Aquarelle et gouache, 46,2 × 32,5 cm. Cachet de l'artiste.
MUSÉE DES BEAUX-ARTS, BUDAPEST

Portrait de Madame Manet sur un canapé bleu, 1874
Pastel, 49 × 60 cm. Signé par la femme de l'artiste.
MUSÉE D'ORSAY, PARIS

Édouard Manet

Rue Mosnier sous la pluie, 1878
Pinceau et encre lithographique sur crayon, 19 × 36 cm.
MUSÉE DES BEAUX-ARTS, BUDAPEST

Les Buveuses de bière, v. 1878-1879
Pastel sur toile, 61 × 50,8 cm. Signé.
BURRELL COLLECTION, GLASGOW

Édouard Manet

George Moore, 1879
Pastel sur toile, 55,2 × 35,2 cm. Signé.
METROPOLITAN MUSEUM OF ART, NEW YORK

Mademoiselle Suzette Lemaire, v. 1880-1881
Pastel sur toile, 53 × 33 cm. Signé.
COLLECTION PARTICULIÈRE EN PRÊT AU ASHMOLEAN MUSEUM, OXFORD

Bellevue
Jeudi

Salut si vous voulez
chère madame,
mais d'une folle
celle-là, et
qui me
permet de
passer très
agréablement
mon temps.
Je me
l'autre de mieux en mieux

Je n'ai pas vu Mlle L.
Sa mère est très malade

Édouard Manet

Lettre à madame Jules Guillemet, juillet-août 1880
Encre avec aquarelle, 4 pages, chaque page, 20 × 12,5 cm.
MUSÉE DU LOUVRE (COLLECTION MUSÉE D'ORSAY), PARIS

t elle déménage je suis
ène étonné de ne pas
avoir reçu de ses nouvelles
'ai peur de vous fatiguer

mes lettres -
ne le dirai
n'est-ce pas.

et à bientôt de vos
nouvelles - mes meilleures
amitiés E. Manet

Edgar Degas

1834–1917

Edgar Degas fut un dessinateur prolifique si ce n'est compulsif tout au long de sa carrière. Il montra des dessins dans les sept expositions impressionnistes auxquelles il participa mais ce n'est qu'après sa mort, au moment de la vente du contenu de son atelier, qu'on mesura véritablement l'importance de son œuvre dessiné.

Le dessin était à la base de la pratique de Degas, et ce quel que soit le médium final – peinture, sculpture ou gravure –, en raison essentiellement du fait que sa principale source d'inspiration était la figure humaine. Il ne se désintéressait pas totalement des paysages mais il n'en a représenté que lors de courtes périodes dans sa vie. Il était intrinsèquement urbain et se lassa très vite de la nature. Il passait de plus en plus de temps dans son atelier et défendait généralement les peintres de figures face aux paysagistes lors des comités de sélection des expositions impressionnistes.

L'importance du dessin ne résidait pas seulement selon lui dans son application pratique. Il utilisa certes traditionnellement ce médium au départ pour étudier les maîtres anciens

Edgar Degas
Autoportrait, 1857
Crayon gras noir avec touches de craie blanche, 29,1 × 23,2 cm.
METROPOLITAN MUSEUM OF ART, NEW YORK

mais réalisa rapidement qu'il fournissait également un moyen idéal de représenter des scènes de la vie contemporaine. L'intensité et la fréquence avec lesquelles il dessinait indique avant tout qu'il s'agissait pour lui d'un exercice d'autodiscipline auquel il prêtait une fonction plus importante que celle de simple étape préparatoire lors de la création d'une œuvre dans un médium différent. Le dessin comportait une dimension morale, un concept qui lui avait peut-être été inspiré par son mentor, Ingres.

On comprendra mieux les dessins de Degas si l'on s'intéresse aux contradictions du personnage. Ce réactionnaire en termes politiques s'avéra très vite anarchiste dans le domaine de l'art, remettant en cause les hiérarchies, s'adonnant à des expérimentations et accueillant à bras ouverts les technologies nouvelles telles que la photographie. Sociable et à l'aise en compagnie de ses nombreux amis souvent plus jeunes que lui, Degas pouvait aussi être extraordinairement impoli et blessant. Convivial et spirituel, il ne s'est jamais marié et a vécu en reclus à la fin de sa vie, en particulier quand il a commencé à souffrir de photophobie et que ses amis se sont tous mis à mourir autour de lui. Dédié à son art et respectueux des traditions dans lesquelles celui-ci s'inscrivait, il réussit dans le même temps à être innovant, rebelle et subversif. D'un naturel gentil, ce conteur hors pair aimait entrecouper ses bons mots de commentaires acerbes et désobligeants, souvent à l'attention de ses collègues artistes.

Beaucoup de ces traits se traduisent directement dans l'œuvre de Degas fondée sur une observation incisive et intelligente de la société, comparable sous bien des aspects à celle que l'on trouve dans les romans d'écrivains naturalistes de l'époque tels que Zola ou Maupassant. Cet admirateur des danseuses classiques, artistes de cabaret, jockeys, modistes, blanchisseuses, repasseuses et prostituées, était respectueux du talent des autres et de ce qu'on exigeait d'eux : on pourrait même voir dans les difficultés que ces gens rencontraient une métaphore de la lutte que lui-même menait pour perfectionner son art. Dans sa représentation de la vie moderne il cherchait l'héroïsme dans la banalité et l'universel dans le fortuit.

L'artiste est né dans une famille riche et cultivée de banquiers d'origine italienne du côté de son père et américaine de celui de sa mère. Il ne décida de devenir artiste qu'en 1858 quand il rentra à l'École des Beaux-Arts de Paris où il commença par faire de nombreuses copies d'œuvres d'artistes anciens (Introduction, fig. 10) ou presque contemporains qui se démarquent par leur grande sophistication d'analyse. La pratique de la copie a permis à Degas de développer sa mémoire visuelle et il a continué de s'adonner à cette activité toute sa vie. L'absorption et la théorisation de ce qu'il voyait dans le travail de ses prédécesseurs et contemporains, alliées à sa propre acuité visuelle et à un traitement très personnel du sujet, constituent l'essence même du style de Degas.

L'artiste décida cependant de prendre ses distances avec l'École des Beaux-Arts et passa une période très productive en Italie entre 1856 et 1859. Il forma de nouvelles amitiés, intensifia sa pratique de la copie et pratiqua le dessin sur le vif à Rome à la

Villa Médicis, alors administrée par l'Académie des Beaux-Arts parisienne. *Deux Études d'une tête d'homme* (p. 76) a été faite d'après modèle et révèle la façon consciencieuse dont Degas pouvait déjà allier tracé et tonalité. L'étroite juxtaposition des têtes sur une même feuille annonce l'intérêt qu'il portera aux points de vue et associations inattendus.

Grand admirateur d'Ingres et de Delacroix, Degas entreprit durant les années 1860 de devenir peintre d'histoire mais il ne réussit pas à exposer régulièrement son travail au Salon officiel. Son goût était clairement pour les sujets modernes. *Femme regardant aux jumelles* (p. 77) représente une figure aperçue aux courses hippiques. L'utilisation de l'essence indique sa volonté d'expérimenter des techniques peut-être plus adaptées à la représentation de la vie contemporaine et le sujet lui-même de l'observatrice en train d'être observée incarne parfaitement la fugacité du quotidien. Les contours sont à peine tracés ; seuls le visage et les mains sont modelés fermement mais délicatement. Degas utilisa aussi le médium plus traditionnel du pastel, historiquement étroitement associé au portrait, en particulier quand il créa sa série de paysages de mer inspirées de son séjour sur la côte nord de la France. Le vide de la mer et du ciel dans *Marine* (p. 78) n'est interrompu que par les petites silhouettes de bateaux à l'horizon. Cette sensation de vide et l'application délicate du pastel suggèrent que cette série a été créée dans l'atelier et non sur le vif. Dès la fin des années 1860 Degas était devenu cet esprit indépendant aux idées novatrices en matière de contenu, de composition et de techniques.

L'un des principaux thèmes dans l'œuvre de Degas émergea dans les années 1870 quand il commença à représenter des scènes de ballet. Il créa tout d'abord des compositions complexes et riches en figures puis réduisit leur nombre au cours des décennies suivantes. Les danseuses étaient représentées de façon non frontale, parfois sur scène mais le plus souvent en coulisses ou dans les vestiaires. Degas avait acquis une solide connaissance de la danse classique et avait un accès privilégié aux cours et aux répétitions. Les études faites sur le vif étaient reprises dans l'atelier et souvent recyclées : « Un tableau est une chose qui exige autant de rouerie, de malice et de vice que la perpétration d'un crime », annonça-t-il un jour. Le dessin quadrillé *Danseuse vue en position de trois-quarts face* (p. 79) représente une figure que l'on retrouve dans plusieurs de ses scènes les plus élaborées du milieu des années 1870. La netteté du tracé et les traits affirmés lui permettent de rendre la solidité et le maintien de la figure, que vient contrebalancer l'aspect flottant du tutu. Mais Degas appréciait aussi les attractions plus populaires offertes par les cafés-concerts. Pour ces dessins, il s'installait dans le public et observait le spectacle depuis la fosse d'orchestre. Parfois il proposait une vue en gros plan plus audacieuse comme avec *Chanteuse au gant* (p. 80) qu'il montra à la quatrième exposition impressionniste de 1879. La bouche grand ouverte et la main tendue de la chanteuse sont remarquables mais le caractère haut en couleurs de sa prestation est symbolisé par le gant noir, le costume orné de fourrure, les cheveux roux et le rouge à lèvres brillant. Le noir contraste fortement avec les bandes colorées à l'arrière-plan et le visage éclairé par les projecteurs.

Vers la fin des années 1880 Degas créa ses dessins de danseuses très élaborés à l'aide de matériaux plus doux : fusain, pastel, gouache et tempera. Dans *L'Examen de danse* (p. 81), qui fut montré à la cinquième exposition impressionniste de 1880, deux jeunes danseuses sont accompagnées de leurs chaperons. La vue en plongée, l'obscurcissement partiel des figures presque cachées ainsi que l'accent mis sur les diagonales créent un effet spatial déconcertant.

Même si Degas continua d'être sociable et de faire preuve de curiosité pendant les années 1880 et 1890, il créait la plupart de ses œuvres dans son atelier. Cela était du à la fois à l'aggravation de sa photophobie et à la grande complexité de certaines de ses compositions pareilles à des frises. Il se reposait de plus en plus sur ses modèles et sa mémoire. Il n'abandonna jamais totalement la peinture mais trouvait le fusain et le pastel plus faciles à appliquer que l'huile. *Chez la modiste* (p. 82) montre une de ces scènes dont Degas a du être très souvent le témoin mais c'est dans le cadre de l'atelier qu'il s'attache à faire fusionner dessin de genre et nature morte. L'essayage du chapeau – vrai sujet du dessin – se déroule en effet à une certaine distance alors que l'emphase est mise sur les chapeaux posés sur la table au premier plan, leurs décorations luxuriantes étant magnifiquement rendues grâce à plusieurs couches de pastel. De la même façon, dans *Jockeys sous la pluie* (p. 83), les chevaux et leurs cavaliers sont confinés dans une partie de la composition, le reste étant pour ainsi dire laissé vide. Degas concentre tous ses talents sur les flancs mouillés des chevaux, les couleurs des casaques détrempées et la pluie drue.

L'un des sommets de la carrière de Degas fut atteint quand il présenta lors de la huitième exposition impressionniste (1886) une série de six ou sept études de femmes au pastel. Il avait remis à cette occasion en cause les conventions propres à ce sujet traditionnel de l'art européen en montrant les femmes dans des poses peu flatteuses comme si nous étions dans l'intimité de leur domicile. Les dessins créèrent la controverse mais, comme les scènes de danse, ce sujet ne cessa obséder l'artiste. Tout comme ses baigneuses se brossent ou se sèchent les cheveux (p. 85), ses danseuses se produisent sur scène (Introduction, fig. 1) ou attendent en coulisses où elles s'étirent, ajustent leurs costumes, prennent soin de leurs pieds endoloris ou reprennent leur respiration (p. 84).

À partir des années 1890 les pastels de Degas acquièrent une puissance inédite en termes d'exécution et de conception. Les figures sont représentées à une échelle monumentale, les surfaces recouvertes de plusieurs couches de couleurs, les contours appuyés, les expressions simplifiées et les mouvements rendus flous. Le papier calque est souvent utilisé à la fois comme support et technique de transfert ou d'inversion. Des bandes de papier sont ajoutées pour agrandir grossièrement les compositions. L'atelier de l'artiste généralement recouvert de poussière à cause de l'application vigoureuse du pastel est transformé en véritable laboratoire jusqu'à ce que ses infirmités aient raison de lui en 1911-1912, cinq ans avant sa mort.

Edgar Degas

Deux Études d'une tête d'homme, v. 1856-1857
Crayon rehaussé de gouache sur papier rouge-brun,
44,8 × 22,6 cm. Cachet de l'artiste.
STERLING AND FRANCINE CLARK ART INSTITUTE, WILLIAMSTOWN, MASSACHUSETTS

Femme regardant aux jumelles, v. 1866-1868
Huile et térébenthine sur papier rose, 28 × 22,7 cm.
Cachet de l'artiste.
BRITISH MUSEUM, LONDRES

Edgar Degas

Marine, 1869
Pastel sur papier chamois, 31,4 × 46,9 cm. Cachet de l'artiste.
MUSÉE D'ORSAY, PARIS

Danseuse vue en position de trois-quarts face, v. 1872
Crayon et craie noire rehaussés de blanc sur papier rose quadrillé, 41 × 27,6 cm, mise au carreau. Signé.
HARVARD ART MUSEUMS (FOGG MUSEUM), CAMBRIDGE, MASSACHUSETTS

Edgar Degas

Chanteuse au gant, v. 1878
Pastel sur toile, 53,2 × 41 cm. Signé.
HARVARD ART MUSEUMS (FOGG MUSEUM), CAMBRIDGE, MASSACHUSETTS

L'Examen de danse, v. 1879
Pastel et fusain, 63,4 × 48,2 cm. Signé.
DENVER ART MUSEUM

Edgar Degas

Chez la modiste, 1882
Pastel, 75,5 × 85,5 cm. Signé.
THYSSEN-BORNEMISZA MUSEUM, MADRID

Jockeys sous la pluie, v. 1883-1886
Pastel, 46,9 × 63,5 cm. Signé.
BURRELL COLLECTION, GLASGOW

Edgar Degas

Danseuse ajustant sa bretelle, v. 1895-1899
Fusain et pastel sur papier calque, 47,5 × 37 cm. Signé.
KUNSTHALLE DE BRÊME

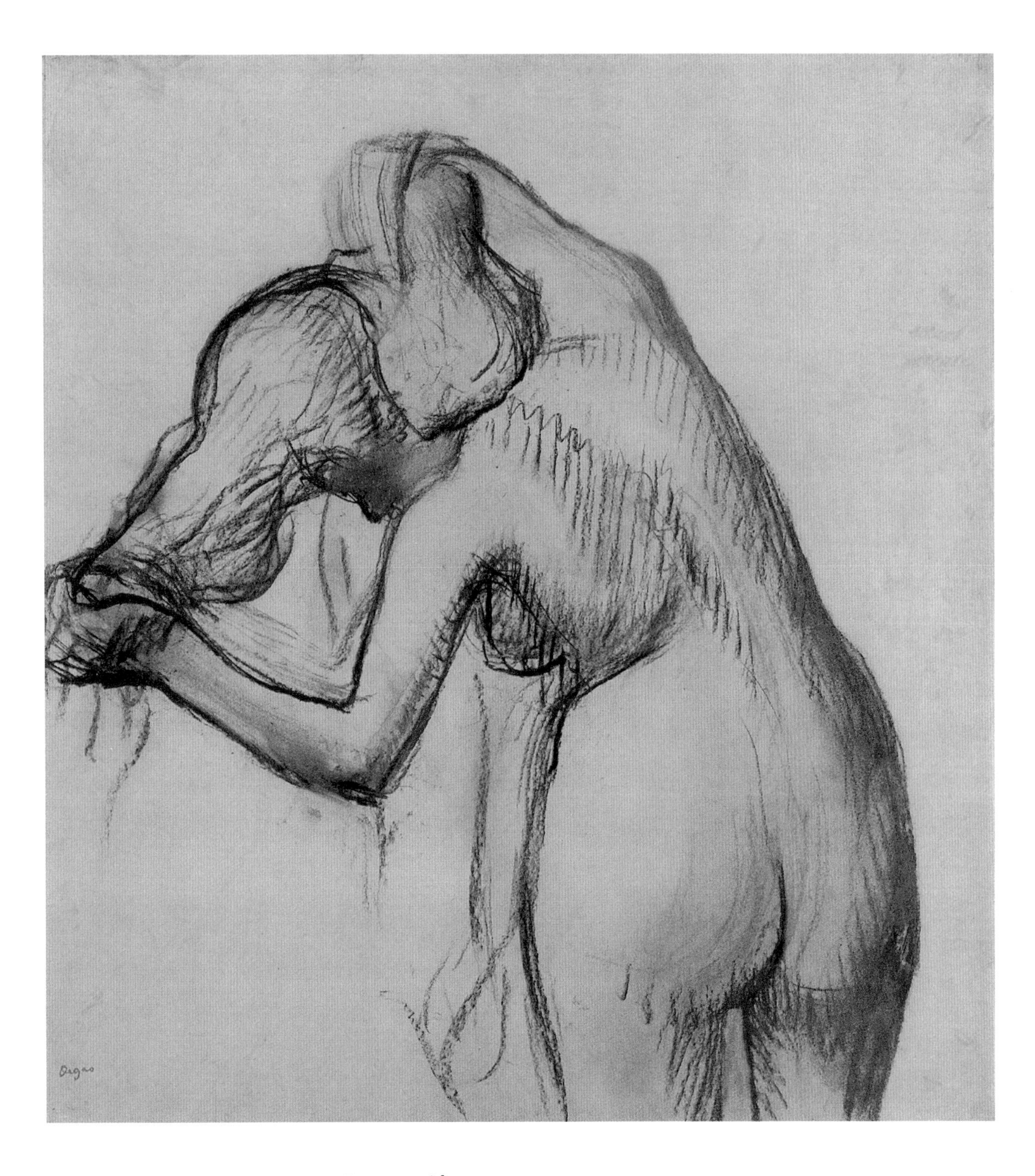

Femme nue séchant son cou, v. 1900

Fusain, 79,3 × 76,2 cm. Cachet de l'artiste.

KING'S COLLEGE, CAMBRIDGE (KEYNES COLLECTION) EN PRÊT AU FITZWILLIAM MUSEUM, CAMBRIDGE

Paul Cézanne

1839-1906

L'œuvre de Paul Cézanne repose essentiellement sur les notions de perception et d'apparence. Son but déclaré était de découvrir un moyen convaincant de traduire les sensations qu'il ressentait devant la nature aussi exactement et fidèlement que possible. À bien des égards il demeura un artiste expérimental toute sa vie, jamais totalement satisfait de ce qu'il créait et toujours convaincu d'échouer. Néanmoins, comme il l'expliqua au jeune écrivain Joachim Gasquet, il voulait « être un vrai classique, redevenir classique par la nature, par la sensation ».

C'est dans ses dessins que cet éternel combat est le plus visible. Un grand nombre ont été créés dans des carnets de croquis, mais durant les années 1880, quand il commença à produire plus d'aquarelles, il préféra utiliser des feuilles individuelles qu'il pouvait ensuite exposer. Et ce sont en effet les expositions de son travail, en particulier de ses aquarelles, organisées par Ambroise Vollard pendant les dix dernières années de la vie de l'artiste, qui vinrent asseoir sa réputation et furent qualifiées de véritables révélations.

Paul Cézanne
Autoportrait, v. 1880
Crayon, 33 × 27,3 cm.
METROPOLITAN MUSEUM OF ART, NEW YORK

Certains dessins de Cézanne pèchent par leur manque de conviction et d'assurance ou peuvent parfois sembler bruts ou incohérents. Ils sont néanmoins le fait d'un grand dessinateur et renferment, après un examen poussé, incontestablement de nombreuses informations de la même manière que ses lettres ou conversations rapportées abordent des problématiques qui sont toujours d'actualité pour les artistes d'aujourd'hui. Les dessins de Cézanne sont dans leur ensemble marqués par une honnêteté rare, car ils sont le fruit d'une grande réflexion et habités par un sens intense de leur finalité, ce qui explique pourquoi l'artiste a sans cesse exploré les mêmes motifs. C'est l'accumulation d'expériences visuelles qui est à l'origine du fait que la production de Cézanne deviendra le terreau de l'art moderne. Il est aussi intéressant de noter que c'était souvent les artistes qui aimaient collectionner son œuvre, certes pour s'en inspirer à certains moments mais surtout pour en faire un objet d'étude continu ainsi qu'un outil pour mesurer leurs propres progrès. La réussite incontestée de Cézanne est de s'être confronté à des problématiques qui ont fait avancer l'art. Pour lui, la quête était plus intéressante que la découverte.

Né à Aix-en-Provence, Cézanne, même s'il a fini par reconnaître l'importance de Paris, demeura un homme du Sud et le paysage des environs de sa ville natale devint l'une de ses principales sources d'inspiration. Son père était un chapelier prospère qui s'était reconverti dans la banque et acheta en 1859 une bastide appelée le Jas de Bouffan à la lisière d'Aix. Cézanne aimait s'y isoler pour travailler jusqu'à la vente de la demeure en 1899.

L'artiste connut une jeunesse difficile en dépit des solides amitiés qu'il forma avec des hommes qui allaient réussir dans leurs carrières respectives comme le romancier Émile Zola. Cézanne s'identifia fortement au mouvement de renaissance de la culture provençale qui était en cours au milieu du siècle et il se plaisait à exagérer son régionalisme dans ses propos, tenues et manières. Son apparence – front bombé, nez proéminent, sourcils broussailleux, yeux globuleux – ainsi que ses opinions tranchées et son franc-parler pouvaient effrayer mais ils étaient aussi d'une certaine façon trompeurs car Cézanne était en fait réservé, taciturne et timide. Grand connaisseur de la littérature à la fois classique et contemporaine, il aurait pu devenir poète s'il n'avait pas été peintre.

Il maîtrisa avec facilité l'apprentissage proposé par l'École Gratuite de Dessin à Aix-en-Provence mais à son arrivée à Paris au début des années 1860 il échoua à l'examen d'entrée à l'École des Beaux-Arts. Il fréquenta alors l'Académie Suisse où il rencontra des artistes comme Pissarro et Monet qui étaient en quête d'une approche moins régentée de l'enseignement artistique. Les modèles étaient par exemple encouragés à adopter des poses moins formelles, plus naturelles, et les artistes eux-mêmes à explorer des perspectives plus inattendues. *Nu masculin* (Introduction, fig. 9) doit ainsi sa force aux contours épais et puissants et à l'étonnant *chiaroscuro*. Pour contrebalancer la liberté de l'Académie Suisse, Cézanne s'enregistra comme copiste au Louvre et entreprit un programme intense de copies de maîtres anciens, pratique qu'il poursuivit jusqu'à la fin de sa vie (Introduction, fig. 11). À cet égard Cézanne demeura un éternel étudiant mais copier pour lui relevait aussi de l'autodiscipline. Il aimait faire des copies au musée de Sculpture Comparée qui avait ouvert au Palais du Trocadéro en 1882 et recopier des images issues de sa collection de livres, revues et reproductions. Ses goûts étaient éclectiques et ses méthodes non conventionnelles : le processus de la copie ressortait chez lui autant de l'assimilation que de la divination. « Dans ma pensée on ne se substitue pas au passé, on y ajoute seulement un nouveau chaînon », écrivit-il en 1905.

Dès son arrivée à Paris Cézanne se révéla un artiste sans compromis. Il produisait des œuvres soit d'une violence impressionnante soit d'une sensualité exacerbée (p. 90). Cette dichotomie se manifestait sous différentes formes dans tous les domaines de son art et la résolution de ce conflit fut sa préoccupation principale durant toute sa carrière. Ses peintures n'avaient absolument aucune chance d'être acceptées régulièrement au Salon et même s'il fut proche des impressionnistes, il ne participa qu'à leurs première et troisième expositions, respectivement de 1874 et 1877.

À l'origine le problème pour Cézanne était de décider quel genre d'artiste il voulait devenir et ce n'est que dans les années 1880 et 1890 qu'il atteignit la maturité nécessaire à cet égard. Pissarro, avec qui il travailla souvent dans les années 1870, exerça sur lui une influence stabilisante. Ensemble ils étudièrent le paysage des environs de Pontoise et Auvers-sur-Oise au nord-ouest de Paris, tentant de déceler sa structure sous-jacente en termes picturaux. Les résultats positifs de cette collaboration sont manifestes dans des dessins tels que *Toitures à L'Estaque* (p. 92) – un petit port de la Méditerranée qui jouera plus tard un rôle important chez les cubistes. Les bâtiments au premier plan sont soulignés dramatiquement au crayon. Les touches d'aquarelle mettent en valeur l'architecture et la végétation mais elles créent surtout des effets lumineux et une grande atmosphère. Dans la partie supérieure, la baie et les montagnes sont à peine esquissées.

Dans ses nombreuses scènes de baigneurs et baigneuses Cézanne conjugue ses intérêts pour les paysages et les figures. Celles-ci peuvent être interprétées comme le produit des fantasmes sexuels de l'artiste réveillés par ses souvenirs d'exploits de jeunesse dans la campagne aixoise. *Quatre Baigneuses* (p. 91) est une étude préparatoire dans laquelle il a pris soin de créer un lien narratif fort entre les personnages et le décor de la rivière et entre les personnages eux-mêmes. Le groupe est unifié grâce aux contours retravaillés et aux nombreuses hachures. Cézanne s'est consacré si ardemment à ce sujet qu'il a créé un répertoire de figures comme celle de *Baigneur debout, vu de dos* (p. 94) qu'il pouvait réutiliser à l'envi. La subtilité avec il intègre les figures dans ses peintures et aquarelles représentant baigneurs et baigneuses leur donne un aspect de bas-relief. Cézanne persévérera dans la représentation de ce thème jusqu'à la toute fin de sa vie : dans *Baigneuses sous un pont* (p. 96), il crée ce qui ressemble pour ainsi dire à un épisode de la mythologie classique en peuplant la rivière de l'Arc au sud d'Aix-en-Provence de figures imaginaires se rafraichissant après une chaude journée.

En tant que portraitiste, Cézanne se limita aux membres de sa famille, amis et connaissances proches. Poser pour lui se révélant une expérience éprouvante, on ne s'étonnera pas que la plupart de ses portraits au dessin le représentent lui-même, sa femme Hortense ou leur fils Paul et soient confinés aux pages de ses carnets de croquis. *Madame Cézanne aux hortensias* (p. 93) est un dessin reposant sur la notion de contraste – le travail délicat au crayon dans la moitié droite est contrebalancé par l'effusion du traitement à l'aquarelle de la fleur sur la gauche comme si l'artiste avait voulu rendre à la fois hommage à Ingres et Delacroix sur la même feuille. Le jeu de mots visuel sur le prénom Hortense ajoute au charme de l'œuvre qui était peut-être un gage d'amour révélant la douceur cachée de l'artiste.

Cézanne désirait transmettre le plus d'informations à propos de son rapport à son sujet mais de la façon la plus succincte possible. Cette volonté farouche porta ses fruits dans ses aquarelles de natures mortes et de paysages à la fin de sa carrière. Dans *Fauteuil* (p. 95), il représente certainement un des meubles du Jas de Buffon. La simplicité d'un tel motif est sans doute ce qui a attiré Cézanne à l'origine mais il apprécie également sa complexité : la perspective, les jeux de lumière et les différentes textures. Certaines de ses natures mortes de fruits les plus simples posaient le même genre de défi mais ce sont dans les compositions plus artificielles, presque baroques, qu'il excelle. Cézanne s'était déjà attelé aux sujets respectifs de *Nature morte avec pot bleu* (p. 97) et de *Trois Crânes* (p. 99) dès les années 1860 mais ces œuvres dénotent désormais un sentiment d'accomplissement grâce à la capacité de l'artiste à conjuguer un degré sophistiqué d'organisation spatiale et une technique d'une amplitude telle qu'elle transmet non seulement une information sur la forme mais distille aussi un sentiment d'immanence.

La montagne Sainte-Victoire en Provence, décor permanent dans la vie de l'artiste, est devenue avec les années un symbole personnel pour Cézanne. La montagne très importante en termes historiques, culturels et scientifiques pour la région était visible depuis la plupart des lieux dans lesquels il travaillait à la fin de sa vie. Au début il garda ses distances, n'approchant ses pentes qu'occasionnellement. Les dernières aquarelles représentent la vue depuis son atelier des Lauves (p. 98) et montrent une étendue sauvage qui semble comme s'éloigner de nous. Le chevauchement du crayon et de l'aquarelle ainsi que l'utilisation des espaces vides sur le papier créent des effets de lumière changeante et de chaleur miroitante. La juxtaposition des taches de couleur qui fait penser à un patchwork était le moyen d'expression ultime de Cézanne dessinateur. Dessiner pour lui n'était pas une question de tracé ou de modelé mais plutôt de contraste entre zones de couleur. Le rythme visuel qui dérivait de ce contraste devint pour l'artiste la seule méthode qui lui permettait de représenter ces sensations qu'il éprouvait devant la nature. Cézanne était persuadé qu'il avait échoué dans cette mission mais les générations suivantes eurent tôt fait de saluer les possibilités sans fin qu'offrait son art.

Paul Cézanne

L'Éternel féminin, v. 1870-1875
Crayon et craie noire, 17,7 × 23,6 cm.
KUNSTMUSEUM, BÂLE

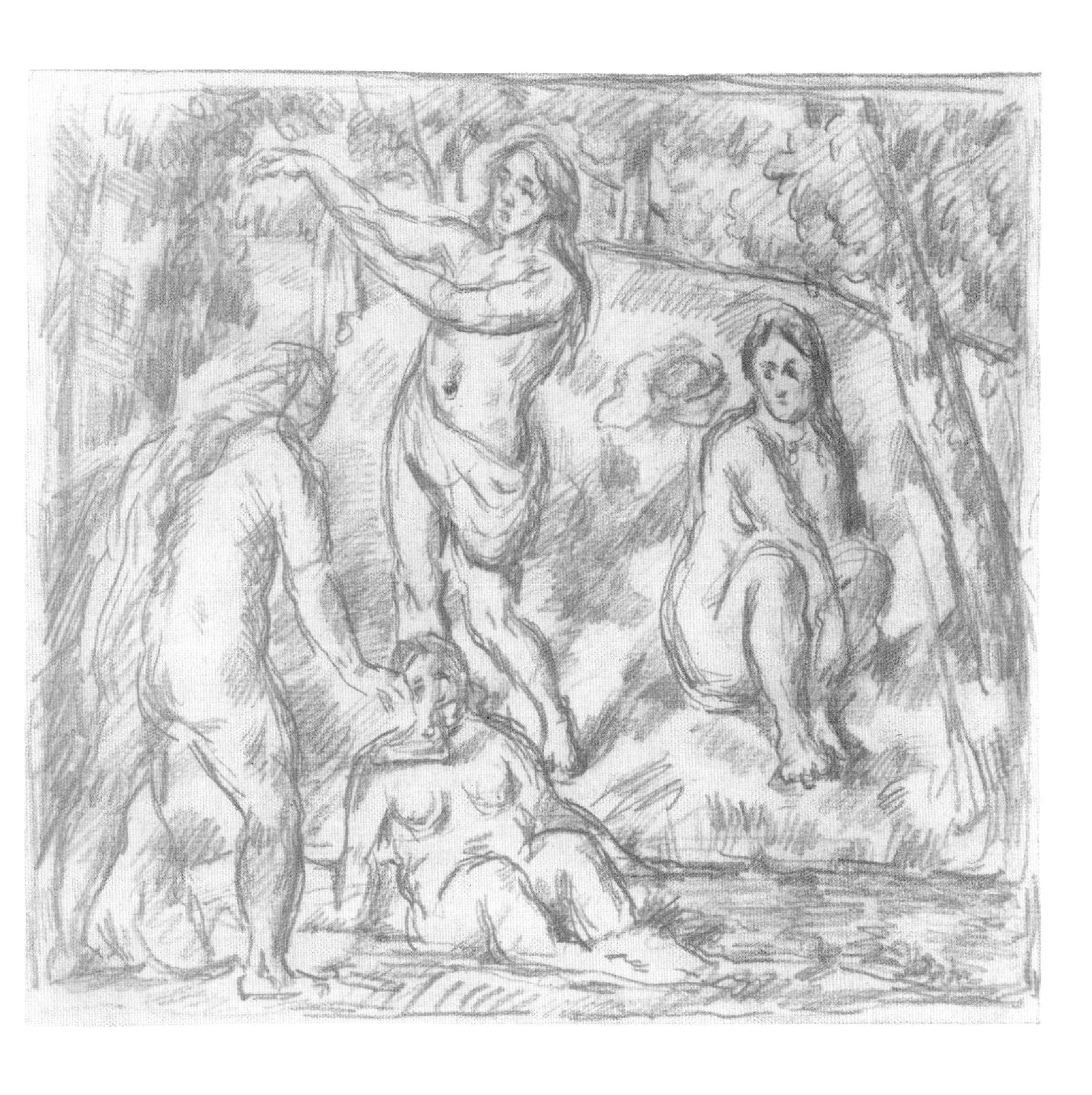

Quatre Baigneuses, 1879-1882
Crayon et craie noire, 20,3 × 22,3 cm.
MUSEUM BOIJMANS VAN BEUNINGEN, ROTTERDAM

Paul Cézanne

Toitures à L'Estaque, 1876-1882
Crayon, aquarelle et gouache, 30,6 × 47,2 cm.
MUSEUM BOIJMANS VAN BEUNINGEN, ROTTERDAM

Madame Cézanne aux hortensias, v. 1885
Crayon et aquarelle, 30,5 × 46 cm.
COLLECTION PARTICULIÈRE

Paul Cézanne

Baigneur debout, vu de dos, v. 1885
Crayon et aquarelle, 22,3 × 17,1 cm.
WADSWORTH ATHENEUM, HARTFORD, CONNECTICUT

Fauteuil, v. 1885-1890
Crayon et aquarelle, 32,2 × 33,8 cm.
THE COURTAULD GALLERY, LONDRES

Paul Cézanne

Baigneuses sous un pont, 1900-1906
Crayon et aquarelle, 21 × 27,2 cm.
METROPOLITAN MUSEUM OF ART, NEW YORK

Nature morte avec pot bleu, v. 1900-1906
Crayon et aquarelle, 48,1 × 63,2 cm.
J. PAUL GETTY MUSEUM, LOS ANGELES

Paul Cézanne

La Montagne Sainte-Victoire depuis Les Lauves, 1902-1906
Crayon et aquarelle, 48 × 63,2 cm.
OSKAR REINHART COLLECTION 'AM RÖMERHOLZ', WINTERTHUR

Trois Crânes, 1902-1906
Crayon avec aquarelle et touches de gouache, 47,7 × 63,2 cm.
THE ART INSTITUTE OF CHICAGO

Alfred Sisley
1839-1899

Vers la fin de sa vie Henri Matisse rapporta une conversation sur l'impressionnisme qu'il avait eue avec Pissarro au tournant du XXe siècle. Matisse lui avait demandé : « Qu'est-ce qu'un impressionniste ? » et Pissarro lui avait répondu : « C'est est un peintre qui ne fait jamais le même tableau. Ses tableaux sont tous différents. » Auparavant, Pissarro avait déclaré : « Cézanne n'est pas un impressionniste [...] il a peint toute sa vie le même tableau. » Matisse lui avait alors demandé de citer un impressionniste par excellence et Pissarro n'avait répondu qu'un seul nom, celui de Sisley. Après un moment de réflexion Matisse avait opiné : « Un Cézanne est un moment de l'artiste tandis qu'un Sisley est un moment de la nature. » Cette déclaration doit avoir rassuré Pissarro qui, en 1895, avait écrit à son fils aîné Lucien d'un ton abattu : « Je reste, avec Sisley, comme une queue de l'impressionnisme. »

Alfred Sisley est né à Paris dans une famille franco-anglaise. Il a tenté par deux fois en vain de devenir citoyen français. Son père dirigeait un commerce de textiles qui

Auguste Renoir
Alfred Sisley, 1876
Huile sur toile, 66,4 × 54,2 cm.
THE ART INSTITUTE OF CHICAGO

avait des succursales à Paris et à Londres et il attendait sans aucun doute de son fils qu'il fasse aussi carrière dans le commerce. Mais il devint artiste : il intégra l'atelier du peintre suisse Charles Gleyre, où il rencontra presque au même moment Renoir, Bazille et Monet, avec qui il partait peindre dans la forêt de Fontainebleau.

Au début de sa carrière Sisley avait une prédilection pour les paysages et subit très vite l'influence des peintres de l'École de Barbizon et de Corot en particulier. Plus tard il écrivit à Adolphe Tavernier, qui était l'un des rares critiques à véritablement comprendre son œuvre et qui prononcera un discours à son enterrement : « Quels sont les peintres que j'aime ? Pour ne parler que des contemporains : Delacroix, Corot, Millet, Rousseau, Courbet, nos maîtres. Tous ceux enfin qui ont aimé la nature et qui ont senti fortement. » La décision de Sisley de devenir artiste provoqua des frictions avec son père mais sa relation avec une fleuriste, Eugénie Lescouezec, avec qui il eut deux enfants – Pierre (né en 1867) (p. 104) et Jeanne (née en 1869) – ne fit rien pour arranger la situation. Ce n'est qu'en 1897 que ses deux enfants furent légitimés lorsqu'il épousa Eugénie lors d'une cérémonie discrète à la mairie de Cardiff au Pays de Galles.

À la fin des années 1860 et au début des années 1870 Sisley contribua aux côtés de Renoir, Monet et Pissarro à développer le style impressionniste. Ces artistes partageaient un même intérêt pour la représentation apparemment spontanée mais de fait souvent préméditée de scènes de la vie contemporaine dans des couleurs vibrantes et un travail au pinceau très libre. Sisley excellait en particulier à traduire les effets de la nature comme le poète Stéphane Mallarmé l'écrivit en 1876 : « [Sisley] fixe les moments fugitifs de la journée, observe un nuage qui passe et semble le peindre en son vol. Sur sa toile, l'air vif se déplace et les feuilles encore frissonnent et tremblent [...] car espace et lumière ne font alors qu'un, et la brise agite le feuillage, l'empêche de devenir une masse opaque, trop lourde pour donner l'impression d'agitation et de vie. »

Sisley a participé à quatre des huit expositions impressionnistes – les première (1874), deuxième (1876), troisième (1877) et septième (1882). Il ne fut pas présent lors de la quatrième exposition de 1879 car il rencontrait alors des difficultés à vendre ses œuvres et ressentait des incertitudes quant à l'évolution de son style, un état d'anxiété qu'il partageait avec d'autres impressionnistes. Il se retrouva très souvent dans sa carrière dans une situation financière préoccupante. Mécènes et marchands lui permirent de continuer à peindre : par exemple le chanteur d'opéra Jean-Baptiste Faure finança un séjour à Londres en 1874 et c'est grâce à l'industriel François Depeaux qu'il put se rendre au Pays de Galles en 1897. Il n'en reste pas moins que Sisley fut un artiste peu reconnu de son vivant. Son travail éveilla un intérêt modeste chez un nombre limité de collectionneurs et le succès critique vint surtout vers la fin de sa vie grâce à de jeunes auteurs tels que Tavernier, Gustave Geffroy et Octave Mirbeau.

La ferveur avec laquelle Sisley contribua à la naissance de l'impressionnisme et dont il fit preuve par moments dans des compositions d'un brio époustouflant (*La*

Machine de Marly, 1873, Ny Carlsberg Glyptotek, Copenhague ; *Sous le pont de Hampton Court*, 1874, Kunstmuseum Winterthur ; *L'Aqueduc de Marly*, 1874, Toledo Museum of Art, Ohio) s'estompa peu à peu même s'il continua de créer des œuvres de très grande qualité. Force est de constater que le caractère réservé de l'homme, combiné au style élégiaque de sa peinture, ne militait pas en faveur de sa reconnaissance. Ses talents était plus spontanément appréciés de ses collègues artistes que du public : sa maîtrise de la composition, son œil pour le détail et la délicatesse de sa touche étaient appliqués aussi bien aux vues panoramiques, aux petits coins perdus, aux voutes célestes, aux feuilles tremblantes, aux gelées mordantes, aux eaux vives, aux terrains recouverts de neige et aux soleils réchauffants.

Sisley s'éloigna progressivement de Paris. Il vécut tout d'abord le long de la Seine au sud-ouest de la capitale – à Louveciennes, Marly-le-Roi et Sèvres – puis il s'installa dans les années 1880 dans les environs de Moret-sur-Loing, à une soixantaine de kilomètres au sud-est de Paris, près de la forêt de Fontainebleau. Il est intéressant de noter qu'il se confronta à l'histoire de tous les lieux où il résida : la cour de Louis XIV aux châteaux de Versailles et Marly quand il était à Louveciennes, Marly-le-Roi et Sèvres ; la France médiévale à Moret-sur-Loing. Dans les premières villes il choisit de nier l'histoire en surimposant des éléments modernes sur le paysage, le vidant ainsi de sa signification historique, alors qu'à Moret-sur-Loing il fit le contraire en soulignant le patrimoine gothique, en particulier l'église Notre-Dame, la porte et le pont, au point de faire disparaître la modernité dans l'ombre du passé. Des approches si opposées suggèrent que Sisley n'est peut-être pas aussi monolithique qu'on l'a souvent pensé.

Les dessins de l'artiste sont complexes à analyser. On ne sait pas s'il dessinait beaucoup ni dans quel but. Les œuvres sur papier qui sont parvenues jusqu'à nous sont de qualité et de style inégaux. Certains dessins que l'on pense préparatoires ne le sont peut-être pas et ont peut-être été au contraire faits d'après des toiles. Ses études de la côte sud du Pays de Galles et de la baie de Langland où il explora avec tant de bonheur de nouveaux motifs en plein air (p. 109, en bas) sont sans doute à mettre à part. Le seul carnet de croquis qui ait survécu, conservé au Louvre, et datant du début des années 1880 est un « livre de raison » dans la tradition du *Liber Veritatis* tenu par le Lorrain.

L'émergence au fil des années de nombreux pastels nous pousse à penser que c'était là le médium préféré de Sisley. Les problèmes de santé commençant à envahir son existence il appréciait certainement un matériau qui n'était pas difficile à manier et qui pourrait augmenter sa productivité en vue à la fois d'expositions et de ventes. Certaines de ses études plus concises (p. 109, en haut) ont pu être créées en préparation de ces pastels (p. 108).

Dans beaucoup de ses lieux d'habitation Sisley étudiait méthodiquement le territoire depuis différents points de vue. Il commença ce processus à Louveciennes et Marly-le-Roi et le poursuivit à Hampton Court, à Saint-Mammès situé à la confluence de la Seine et du Loing, à Moret-sur-Loing et au sud du Pays de Galles. Il se consacra parfois à un seul sujet comme l'église Notre-Dame à Moret-sur-Loing et créa, influencé par Monet, un groupe – et non à proprement parler une série – d'œuvres en observant le bâtiment depuis différents points de vue et à diverses heures de la journée sous des conditions météorologiques et lumineuses variées.

Durant l'hiver 1888, alors qu'il vivait à Veneux-Nadon (aujourd'hui Veneux-les-Sablons), Sisley créa au moins huit pastels de la vue qu'il avait depuis une fenêtre de sa maison proche de la gare. Il donna à ce qu'il appelait cette « suite » de pastels un titre générique – *La Gare de Moret* – dans une exposition organisée par Paul Durand-Ruel l'été suivant (pp. 105-107). Les pastels obéissent à une composition similaire, fondée sur des bandes horizontales – le jardin au premier plan, puis la route au-delà du muret de la maison, la ligne de chemin de fer et les cabanons de l'autre côté de la route et enfin le ciel d'hiver tout en haut. Les seuls motifs verticaux sont ceux des arbres. L'écrivain Félix Fénéon dit de ces pastels qu'ils provoquaient « une sensation puissante, vraiment exprimée par des moyens ingénieux, sans rouerie » tout en soulignant leur aspect désolé. Comme Van Gogh, le grand talent de Sisley consistait à élever le quotidien et le banal au niveau de l'universel et du sacré. C'est précisément ce qu'il réussit à faire dans ces pastels.

La santé de Sisley commença à décliner à la fin des années 1880. Sa productivité s'en ressentit dramatiquement. Ses sauts d'humeur se firent plus fréquents alors qu'il vivait de plus en plus reclus à Moret-sur-Loing. Eugénie mourut d'un cancer de la langue en octobre 1898, suivie trois mois plus tard par son époux lui-même atteint d'un cancer de la gorge.

Alfred Sisley

Le Fils de l'artiste, Pierre, 1880
Craie noire, 23 × 31 cm. Titré et signé de la main de l'artiste.
THE NEW ART GALLERY WALSALL

L'approche de la gare en hiver, Moret, 1888
Pastel, 38,4 × 46 cm. Signé.
CINCINNATI ART MUSEUM

Alfred Sisley

Effet de neige, gare de Moret, 1888
Pastel, 45,7 × 54,6 cm. Signé.
NATIONAL GALLERY OF SCOTLAND, ÉDIMBOURG

Paysage d'hiver, Moret, 1888
Pastel, 38 × 55,4 cm. Signé.
VON DER HEYDT MUSEUM, WUPPERTAL

Alfred Sisley

Au bord du Loing, v. 1896
Pastel, 30 × 40,5 cm. Signé.
MUSÉE DES BEAUX-ARTS, ROUEN

Oies, v. 1896
Pastel, 19,8 × 30,8 cm. Signé.
MUSÉE DES BEAUX-ARTS, BUDAPEST

Arbres au bord de la mer, juillet 1897
Crayons gras de couleur, 16 × 21 cm.
Initiales et date de la main de l'artiste.
PETIT PALAIS, MUSÉE DES BEAUX-ARTS DE LA VILLE DE PARIS

Odilon Redon

1840-1916

Sur une toile de Maurice Denis datée de 1900 et désormais conservée au musée d'Orsay un groupe est rassemblé autour d'un chevalet sur lequel est posé *Compotier, verre et pommes* (1879-1880) de Cézanne qui avait appartenu à Gauguin. Cet *Hommage à Cézanne* était une façon pour Denis de témoigner des récents développements dans le domaine de l'art dont la jeune génération attribuait la paternité à Cézanne.

La scène se déroule dans la galerie d'Ambroise Vollard qui se tient lui-même derrière le chevalet et semble surveiller le tableau avec appréhension. La plupart des personnages sont positionnés derrière ou au même niveau que la toile. Deux se tiennent devant : Redon, à gauche, nettoie méthodiquement ses lunettes tout en écoutant Paul Sérusier, à droite, qui semble mener la conversation. Redon apparaît grand et massif ; légèrement courbé, il a le front haut et porte une barbe. Un air d'autorité émane de lui et il est habillé plus formellement que ses jeunes compagnons, ce qui donne à l'homme une certaine gravité.

Emile Schuffenecker
Portrait d'Odilon Redon, v. 1891
Craie noire de fabrication personnelle, 31 × 54,2 cm.
METROPOLITAN MUSEUM OF ART, NEW YORK

Il n'était pas inhabituel pour Redon de se distinguer de la sorte et on disait de lui qu'il avait « une aptitude au silence ». La présence de l'œuvre de Redon lors de la huitième et dernière exposition impressionniste de 1886 – il montra des fusains dans un couloir – a surpris les critiques les plus brillants et en a interloqué la plupart. La septième exposition impressionniste avait eu lieu quatre ans auparavant et l'organisation de la suivante s'était déroulée dans l'acrimonie, en particulier au sujet du choix du lieu et des artistes invités. La large gamme de styles et de types d'art présentée était révélatrice des tensions qui étaient certes déjà apparues lors des éditions précédentes mais qui étaient désormais exacerbées par la présence des jeunes néo-impressionnistes représentés par Seurat et Signac. Dans le cas de Redon, ce n'était pas tant le style de ses dessins qui provoqua des commentaires que leur contenu qui tendait généralement à être considéré comme symboliste.

L'artiste est né à Bordeaux d'un père qui avait fait fortune en Louisiane et d'une mère créole. Redon a connu une enfance solitaire sur les terres familiales de Peyrelebade dans le Médoc. Les horizons bas du paysage aride et désolé de cette région le hantèrent toute sa vie et se retrouvent dans beaucoup de ses paysages (p. 115). La vente du domaine en 1897 l'affecta profondément mais il continua de revenir dans la région chaque été, louant une villa à Saint-Georges-de-Didonne près de Royan. Le vide du paysage restera une source d'inspiration déterminante et alimentera son imagination.

Redon montra une aptitude pour le dessin dès son plus jeune âge mais fut lent à se lancer dans une carrière artistique puisqu'il n'exposa qu'après ses quarante ans passés. Sa famille voulait qu'il soit architecte mais il échoua aux examens à Paris et intégra en 1864 l'atelier du célèbre peintre du Salon Jean-Léon Gérôme où il ne fut pas heureux. Redon était de fait en train de devenir un esprit indépendant et ses sources d'inspiration se trouvaient près de chez lui à Bordeaux où vivait à la fin des années 1860 un peintre plus âgé et extrêmement excentrique du nom de Rodolphe Bresdin. Celui-ci créait des gravures et dessins de petit format représentant souvent des luttes épiques, peuplées de nombreuses figures. Leur aspect visionnaire rappelle Jacques Callot et Goya. À cette même époque Redon rencontra aussi le botaniste Armand Clavaud, futur conservateur de la bibliothèque municipale botanique de Bordeaux, qui lui fit connaître des publications scientifiques et philosophiques, les œuvres de Flaubert, Baudelaire et Poe ainsi que la littérature et la religion orientales.

Bresdin et Clavaud encouragèrent tous deux Redon à utiliser son imagination, mais il était aussi sensible à l'aspect plus grand public de la tradition artistique française. Il vénérait les multiples aspects de l'art de Delacroix, en particulier sa peinture sur le plafond de la galerie d'Apollon du palais du Louvre. Il écrivit un récit remarquable de la soirée qu'il passa à suivre jusqu'à chez lui le grand homme « marchant comme un chat sur les plus fins trottoirs ». Redon admirait aussi Corot et retint l'avis que lui donna son aîné de combiner ce qui est observé et ce qui ne l'est pas. Beaucoup des études au dessin de Redon – contrairement à ses dessins finaux – sont, comme celles de Corot, dépouillées et économes dans leur traitement avec leurs zones ombrées d'une grande délicatesse (p. 114).

Étant donné l'importance que Redon accordait à l'imagination, on ne sera pas surpris de ses critiques envers les impressionnistes : « Vrais parasites de l'objet [ils] ont cultivé l'art sur le champ uniquement visuel et l'ont fermé en quelque sorte à ce qui dépasse [...] » Redon disait de sa propre originalité qu'elle consistait au contraire à mettre « autant que possible, la logique du visible au service de l'invisible ». Il prit par ailleurs soin de ne pas associer son nom à quelconque mouvement artistique identifiable et, même s'il écrivit sur l'art, il ne fut pas un de ses théoriciens.

Redon créa de nombreuses toiles mais c'est dans ses multiples dessins et gravures que son approche si personnelle du sujet et des matériaux transparaît le plus. Les œuvres finales sur papier sont d'une grande autonomie et peuvent se classer grossièrement en deux catégories complémentaires : les fusains que l'artiste appelait ses « noirs » à partir des années 1870 (pp. 116-120) et les pastels qu'il commença à créer dans les années 1890 pour célébrer sa conversion à la couleur (pp. 121-123).

C'est après avoir combattu lors de la guerre franco-prussienne de 1870-1871 que Redon commença à créer des dessins au fusain. Quand ils ne se vendirent pas, il fut encouragé par Fantin-Latour à les imprimer sous forme de lithographies et à les publier en albums pour promouvoir son travail. C'est ainsi que plusieurs albums furent publiés entre 1879 et 1899, ce qui augmenta peu à peu la réputation de l'artiste, en particulier chez les écrivains français tels que Huysmans et Mallarmé mais aussi en Belgique, en Allemagne et aux Pays-Bas. Beaucoup des premiers soutiens de Redon dans les années 1870 fréquentaient le salon parisien de madame de Rayssac, épouse du poète Saint-Cyr de Rayssac qui mourut à l'âge de 36 ans en 1874. Des expositions de « noirs » eurent lieu dans des lieux privés tels que les bureaux des revues *La Vie Moderne* et *Le Gaulois*, mais les marchands Paul Durand-Ruel et Amboise Vollard commencèrent à partir de 1884 à exprimer leur intérêt. Redon soumettait également ses œuvres à la Société des Artistes Indépendants et au Salon d'Automne. Il fut invité à exposer à Bruxelles avec le groupe avant-gardiste des Vingt. Ces événements contribuèrent à le faire connaître de la critique, même si celle-ci ne fut pas toujours élogieuse ou même favorable mais beaucoup de ses amis musiciens et poètes accrochèrent ses dessins à leurs murs.

Les images étranges, fantasmagoriques, souvent impénétrables, créées par Redon représentaient souvent des parties du corps humain, le règne végétal ou le monde animal. Leur attrait n'était pas immédiat mais leur technicité ne laissait aucun doute. Redon traitait le noir comme une couleur à part entière, disant que « c'était la couleur la plus essentielle ». Avec ses fusains sur papiers teintés il manipulait la surface non seulement grâce à la pression de la main mais aussi par le biais de moyens plus invasifs qui lui permettaient de jouer sur la texture et lui donner parfois une apparence tridimensionnelle. Les interventions techniques de Redon pouvaient donner à son art un aspect très terrestre et, même si cela était très tentant, il préférait que ses images, y compris celles d'inspiration religieuse ou mythologique, ne soient pas interprétées symboliquement ou même personnellement. Il regrettait ce besoin de leur donner des titres spécifiques : « Mes dessins inspirent et [...] ne déterminent rien. Ils nous placent, ainsi que la musique, dans le monde ambigu de l'indéterminé. » C'est peut-être la raison pour laquelle le plaisir ressenti à la vision des « noirs » de Redon est aussi fondamentalement durable que le son mourant d'un accord, ce qui était peut-être l'effet escompté étant donné le fait que l'artiste était également un musicien de talent.

Redon commença pendant les années 1890 à préférer le pastel au fusain. Il ajouta d'abord des rehauts au pastel à ses « noirs » puis transposa beaucoup des ses compositions en pastels à part entière. Comme avec ses œuvres précédentes il recouvrait l'intégralité de la feuille, ce qui, si l'on ajoutait à cela l'intensité de ses couleurs, donnait aux œuvres une grande force. À partir de 1900 il se consacra uniquement au pastel et se bâtit une réputation dont l'influence est visible chez des artistes aussi différents que Matisse, Picasso et Duchamp. À la même époque et en réaction à sa popularité grandissante, il élargit son répertoire au-delà du fantasmagorique et de l'onirique pour aborder des thèmes inspirés de sources mythologiques et bibliques et s'adonner à la nature morte et au portrait (p. 121). Pour nos yeux modernes, la beauté de ses pastels est dotée d'une dimension spirituelle et il est vrai que Redon était au fait du mouvement de renouveau catholique en France à la fin du XIXe siècle. Par exemple les bateaux qui apparaissent dans le « noir » *L'Esprit gardien des eaux* (p. 116) et le pastel *Nuages en fleurs* (p. 122) sont peut-être une métaphore de la vie vue comme un périple menacé par des dangers inattendus. Il n'en reste pas moins que Redon prétendait qu'il avait « épousé la couleur » et qu'il désirait pousser ce médium jusqu'à ses limites. La luminosité de ces pastels qui luisent tels des vitraux (p. 122) ou étincellent comme des pièces précieuses de ferronnerie (p. 123) plaisaient à un plus large public que ses « noirs ». Redon semblait avoir abandonné le monde inhospitalier de Brueghel l'Ancien ou Bosch pour celui des salons feutrés de Proust.

L'indéniable qualité décorative des pastels exécutés après 1900 était admirée de ses mécènes les plus riches ou fidèles – Robert de Domecy, Gustave Fayet, Arthur Fontaine, André Bonger – qui passèrent commande à l'artiste. Ces œuvres plus larges et formelles possédaient aussi la magie qui caractérise l'ensemble de l'œuvre de Redon. Comme l'artiste l'a affirmé dans une lettre du 21 juillet 1898 à André Mellerio, il créait « à seule fin de produire chez le spectateur une sorte d'attirance diffuse et dominatrice dans le monde obscur de l'indéterminé et prédisposant à la pensée ».

Odilon Redon

Arbres, 1865-1868
Crayon sur papier de couleur, 42,5 × 29,5 cm. Signé.
MUSEUM OF MODERN ART, NEW YORK

Paysages, 1868
Divers fusains, craie noire et crayon Conté,
53,6 × 75,5 cm. Signé et daté.
THE ART INSTITUTE OF CHICAGO

Odilon Redon

L'Esprit gardien des eaux, 1878
Divers fusains avec touches de craie blanche, 46,6 × 37,6 cm.
Signé.
THE ART INSTITUTE OF CHICAGO

Le Livre de la lumière, 1893
Fusain sur papier brun clair, 52,2 × 37,5 cm.
Signé.
NATIONAL GALLERY OF ART, WASHINGTON, DC

Odilon Redon

Pegase et Bellérophon, v. 1888
Fusain, craie blanche et crayon Conté, 53,7 × 36,1 cm. Signé.
METROPOLITAN MUSEUM OF ART, NEW YORK

Armure, 1891
Fusain et crayon Conté, 50,7 × 36,8 cm. Signé.
METROPOLITAN MUSEUM OF ART, NEW YORK

Odilon Redon

Christ couronné d'épines, 1895
Fusain, pastel noir et crayon gras, estompe, gommages et incisions sur papier vélin brun clair de ton doré, 52,2 × 37,9 cm.
Signé.
BRITISH MUSEUM, LONDRES

Portrait d'Ari Redon, v. 1898
Pastel sur papier bleu pâle, 44,8 × 30,8 cm. Signé.
THE ART INSTITUTE OF CHICAGO

Odilon Redon

Nuages en fleurs, v. 1903
Pastel, avec travail au pinceau sur papier gris bleuté monté sur carton, 44,5 × 54,2 cm. Signé.
THE ART INSTITUTE OF CHICAGO

Vase de fleurs, v. 1912-1914
Pastel et crayon sur papier de couleur, 73 × 53,7 cm. Signé.
MUSEUM OF MODERN ART, NEW YORK

Claude Monet
1840–1926

On a longtemps pensé que Claude Monet n'éprouvait que peu ou pas d'intérêt pour le dessin et qu'il ne le considérait même pas comme partie intégrante de sa pratique artistique. Les toiles de Renoir (*Monet peignant dans son jardin à Argenteuil*, 1873 ; Wadsworth Atheneum, Hartford) et de Manet (*La Barque – Monet sur son bateau-atelier* de 1874 ; Bayerisches Staatsgemaldesammlungen, Munich) figurent parmi les œuvres dont on pensait qu'elles représentaient les conditions idéales dans lesquelles l'artiste aimait peindre. Il y est montré en train d'observer directement la nature avant de peindre spontanément sur la toile sans le besoin apparent d'étapes intermédiaires. Ce type de témoignage visuel accepté unanimement existe de fait jusqu'à la toute fin de la longue vie de l'artiste et ne devrait pas – ou même ne peut pas – être remis en cause. Mais d'autres facteurs devraient désormais être pris en compte.

Un réexamen attentif des dessins de Monet nous indique qu'il n'était en aucun cas un dessinateur intermittent ou irrégulier. Des carnets de croquis et des dessins appartenant

Claude Monet
Autoportrait de l'artiste dans son atelier, 1884
Huile sur toile, 85 × 55 cm.
MUSÉE MARMOTTAN MONET, PARIS

à toutes les époques de sa vie révèlent que son approche de ce médium était de nature instinctive. Une analyse poussée nous montre même que ces dessins étaient souvent créés en lien avec des toiles spécifiques ou qu'ils étaient exécutés sous forme de séries.

Monet commença à dessiner dès 1851 alors qu'il était écolier au Havre. Il s'appuyait principalement sur des manuels de dessin pour étudier les différents types de matériaux et techniques. Mais c'est Eugène Bourdin qui joua un rôle crucial à cette époque en lui prodiguant conseils et encouragements. Ce sont par exemple les liens que Bourdin entretenait avec les artistes de l'École de Barbizon qui furent à l'origine de la décision du jeune Monet de devenir peintre de paysages. Pour gagner sa vie il créa, exposa et vendit cependant tout d'abord des caricatures au Havre. Certaines d'entre elles étaient des copies de « portraits-charge » de célèbres caricaturistes mais beaucoup étaient de sa propre invention comme celle que l'on suppose être du peintre animalier Jules Didier (p. 128). Les plus frappantes sont de grand format et signées O. Monet (son nom de baptême était Oscar-Claude). L'humour repose sur la taille exagérée des têtes par rapport au reste du corps, ce qui dans un contexte politique apporte à l'image une dimension supplémentaire. Il créa à l'époque plus d'une cinquantaine de caricatures de ce type.

Dans les années 1860 l'évolution de Monet est intimement liée aux rencontres qu'il fit à Paris où il s'installa en 1859, déterminé alors à embrasser une carrière artistique. Il fréquenta l'Académie Suisse en 1860 puis fit son service militaire et intégra pendant un an (1862-1863) l'atelier du peintre d'histoire suisse Charles Gleyre, où il travailla aux côtés de Renoir, Ludovic-Napoléon Lépic, Sisley et Bazille. C'est de ce dernier qu'il fut le plus proche à cette époque mais ce Montpelliérain d'origine fut tué en 1870 pendant la guerre avec la Prusse. En compagnie de tels artistes le talent Monet évolua considérablement dans le domaine du dessin de paysages. Inspiré par la côte havraise et motivé par l'exemple de Boudin et de Johan Barthold Jongkind, il se révéla doué pour la craie noire et le pastel. *Crépuscule sur la mer* (p. 129, en haut) est à la hauteur des pastels de Boudin et annonce les paysages marins de Degas de 1869 alors que le monochrome *Falaises et mer, Sainte-Adresse* (p. 129, en bas), dominé par la puissante silhouette de la falaise sur la gauche et différents types d'embarcations sur la droite, préfigure les impressionnantes vues de la mer que l'artiste créera en 1867 dans le même village de Sainte-Adresse. La rapidité avec laquelle Monet acquiert de la maturité apparaît clairement dans les toiles et dessins des années 1860, en particulier dans la disposition des puissantes horizontales créées par l'horizon et le traitement de la perspective. Il fait preuve d'une assurance technique impressionnante et d'une économie de moyens qui dénotent une grande conviction.

Monet fera montre de cette confiance en soi à la fois personnelle et technique presque toute sa vie. Le pastel *Étretat : le rocher de l'Aiguille et la Porte d'Aval, le Cap d'Antifer*, exécuté vers 1885 (p. 134) révèle cependant un aspect moins connu de l'artiste. Le sujet est un affleurement impressionnant près de Fécamp au nord du Havre, vu de façon vertigineuse depuis le haut de la falaise. Les tons sombres choisis par l'artiste dénotent une approche sophistiquée des possibilités du médium. Monet peignit de nombreuses toiles de cette célèbre falaise au fil du temps, la représentant généralement sous un soleil éclatant, mais ici un sentiment de désolation domine. Aucune trace de présence humaine n'est détectable et rien ne permet de connaître avec certitude l'heure de la journée.

Parallèlement à l'exploration de diverses techniques de dessin, Monet évoluait dans son approche du processus préparatoire qui était au départ, après son apprentissage dans l'atelier de Gleyre, plutôt traditionnelle. Au milieu des années 1860 le but de Monet était de rencontrer le succès au Salon mais son adoption, sous l'influence de Manet, de sujets modernes et du style avant-gardiste qui allait de pair fit que ses œuvres furent souvent rejetées. *Le Déjeuner sur l'herbe* est une immense toile sur laquelle il travailla en 1865-1866 mais qu'il ne termina pas. Seuls deux fragments ont survécu (conservés tous deux au musée d'Orsay à Paris), mais nous en savons plus sur le projet de départ grâce à un dessin préparatoire (p. 130) et une étude à l'huile (musée Pouchkine, Moscou). La scène se déroule à Chailly dans la forêt de Fontainebleau. Le dessin a été créé tôt dans le processus préparatoire puisque l'étude à l'huile témoigne de très nombreuses modifications. Bazille et la maîtresse de Monet, Camille Doncieu, ont servi de modèles. Une étude de cette dernière seule (p. 131) se démarque par la fusion des lignes et des tons au service des plis de la robe élégamment brodée, technique témoignant de la grande connaissance que l'artiste avait des illustrations de mode.

À partir du début des années 1870 Monet s'éloigna cependant des méthodes préparatoires conventionnelles et s'appuya de plus en plus sur ses carnets de croquis. Les huit qui ont survécu dans leur intégralité et sont conservés au musée Marmottan à Paris datent principalement de la période plus fructueuse qui nous intéresse ici. Ils sont assez dissemblables : l'indication des dates varie à l'intérieur même de chaque carnet, l'orientation ou le regroupement des dessins sur les pages est aléatoire et il y a peu d'unité stylistique. Certains dessins sont étonnamment détaillés (p. 132) tandis que d'autres sont d'une économie telle qu'ils sont difficiles à interpréter (p. 135, en bas). Les carnets n'étaient pas destinés à être exposés ou vendus mais à etre éventuellement utilisés comme référence dans le cadre d'un projet futur. En témoignent les cadres symbolisés par les bords du papier ou tracés avec assurance sur la page. Le style ressort de la notation de travail et la principale préoccupation est la juxtaposition des formes et non la lumière ou la couleur auxquelles Monet préférait s'intéresser au moment même de peindre la toile. Aucun des dessins présents dans les carnets n'a été repris ou développé ; au-delà des considérations stylistiques, ils nous renseignent sur le contexte dans lequel Monet travaillait.

L'artiste créa aussi des dessins en vue de la reproduction de ses peintures dans des revues d'art. C'était là un moyen de promouvoir son œuvre mais la traduction en noir et blanc des effets des peintures originales n'était pas sans poser quelques défis. Lors des siècles précédents, cette tâche était dévolue à des spécialistes ; c'était donc un exercice contraignant pour Monet. Il devait pratiquer ses talents de dessinateur sur du papier Gillot, un papier texturé ressemblant à de la toile à gratter sur lequel on pouvait dessiner directement mais que l'on pouvait aussi gratter pour créer des rehauts. *Vue de Rouen* (p. 133) est basé sur une toile de 1872 exposée à la galerie de Paul Durand-Ruel en 1883 (collection particulière, Grande-Bretagne). On discerne quelques différences d'emphase entre la peinture et le dessin mais dans l'ensemble Monet réussit à transposer les tons argentés et violets de l'œuvre originale ainsi que les nombreuses réflexions sur l'eau. Le dessin fut ensuite gravé afin d'illustrer un compte rendu de l'exposition paru dans la *Gazette des Beaux-Arts* sous la plume d'Alfred de Lostalot.

Monet étudiait toujours de façon méthodique l'environnement dans lequel il se trouvait. Il se comportait en géomètre ou même en ingénieur des mines, examinant les repères topographiques et les éléments de la nature avec une égale intensité. Le public d'aujourd'hui voit des lieux comme Argenteuil ou Giverny à travers le regard de Monet mais aussi des monuments dans des villes plus lointaines telles que Rouen, Londres ou Venise, représentés avec la même force. Monet s'attachait particulièrement aux motifs paysagers – les falaises de la côte normande, les meules de foin ou les rangées de peupliers – car ce type d'imagerie représentait sans doute selon lui la régénération de la France après le désastre de la guerre franco-prussienne. Monet avait toujours été un grand adepte des séries mais le fait de scruter si intensément tant de motifs pendant une longue période et sous une lumière changeante lui permit de profondément développer cette pratique tout en atteignant le sommet de son art. Quand ces différentes séries furent exposées, elles provoquèrent un grand retentissement et jouèrent un rôle déterminant dans le développement de la peinture moderne.

Une autre occasion se présenta à Londres en janvier 1901 lors du troisième long séjour de l'artiste dans la ville. Son matériel de peinture étant bloqué en douane, Monet dut se résoudre à utiliser des pastels (p. 135, en haut). De sa chambre du Savoy il avait vue sur la Tamise et s'intéressa à nouveau à des motifs explorés précédemment : la vue en amont en direction du pont de Charing Cross et celle en aval vers le pont de Waterloo. Les 26 pastels créés pendant cette courte période d'intense activité sont intéressants à comparer aux toiles représentant les mêmes sujets. Le pastel met en valeur les effets alchimiques de la fusion entre l'air et l'eau. Les formes solides sont clairement définies avant de disparaître l'instant d'après. Derrière le pont de Charing Cross Monet représente les cheminées fumantes qui participaient sans aucun doute à créer la pollution qui ravageait Londres au tournant du siècle. Mais pour Émile Zola, la brume au-dessus de la Tamise créait un « pays de rêve » et il est certain que Monet se délectait, tout comme James Whistler, de la beauté spectrale qui s'offrait ainsi à lui.

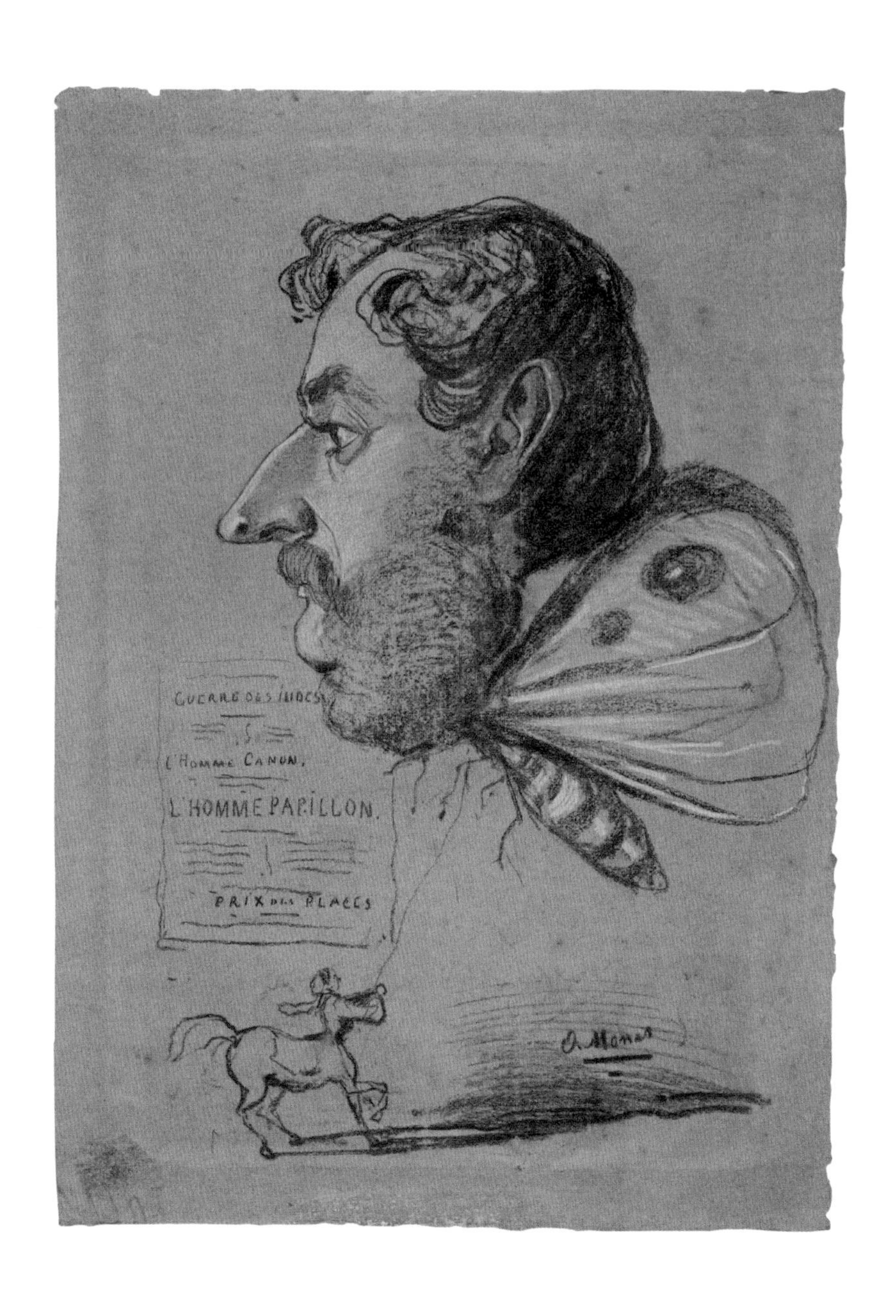

Claude Monet

Caricature de Jules Didier, v. 1858
Fusain rehaussé de craie blanche sur papier bleu (devenu brun clair), 61,6 × 43,6 cm. Signé.
THE ART INSTITUTE OF CHICAGO

Crépuscule sur la mer, v. 1862-1864
Pastel et gouache sur papier chamois de couleur, 17,3 × 33 cm. Signé.
ASHMOLEAN MUSEUM, OXFORD

Falaises et mer, Sainte-Adresse, v. 1864
Craie noire sur papier blanc cassé, 20,6 × 31,4 cm.
THE ART INSTITUTE OF CHICAGO

Claude Monet

Déjeuner sur l'herbe, v. 1865
Craie noire sur papier bleu, 30,5 × 46,8 cm.
NATIONAL GALLERY OF ART, WASHINGTON, DC

Silhouette de femme (Camille), v. 1865
Craie noire, 47,2 × 31,5 cm.
COLLECTION PARTICULIÈRE

Claude Monet

La Gare Saint-Lazare (lignes de banlieue), 1877
Crayon, 25,5 × 34 cm. Carnet de croquis 1, fol. 23v.
MUSÉE MARMOTTAN MONET, PARIS

Vue de Rouen, 1883
Crayon gras noir et grattage sur papier Gillot, 31,2 × 47,5 cm. Signé.
STERLING AND FRANCINE CLARK ART INSTITUTE, WILLIAMSTOWN, MASSACHUSETTS

Claude Monet

Étretat : le rocher de l'Aiguille et la Porte d'Aval, le Cap d'Antifer (Falaises à Étretat), v. 1885
Pastel, 39 × 23 cm.
SCOTTISH NATIONAL GALLERY OF MODERN ART, ÉDIMBOURG

Le Pont de Waterloo à Londres, 1901
Pastel sur papier beige rosé, 31,3 × 48,5 cm. Signé.
MUSÉE D'ORSAY, PARIS

Nymphéas, v. 1914-1919
Crayon, 23,5 × 31,5 cm. Carnet de croquis 6, fol. 8v.
MUSÉE MARMOTTAN MONET, PARIS

Berthe Morisot

1841-1895

Le décès en 1895 à l'âge de 54 ans de Berthe Morisot des suites de la grippe priva l'impressionnisme de l'une de ses principales figures. Elle fut très regrettée. Pissarro écrivit à son fils ainé Lucien : « Tu ne saurais croire combien nous avons tous été surpris et affectés de la disparition de cette femme distinguée, d'un si beau talent féminin et qui faisait honneur à notre groupe impressionniste qui disparaît – comme toute chose. Cette pauvre madame Morisot c'est à peine si le public la connaît. » Un an plus tard eut lieu à la galerie Paul Durand-Ruel une exposition commémorative regroupant 174 peintures, 54 pastels, 69 aquarelles, 67 dessins et 3 sculptures. Elle était organisée et accrochée (non sans quelques tensions) par Degas, Renoir, Monet et le poète Stéphane Mallarmé, tous grands admirateurs de l'œuvre de Morisot. L'artiste avait été généreusement représentée lors des sept des huit expositions impressionnistes qui avaient eu lieu entre 1874 et 1886. Seule la naissance en 1878 de sa fille Julie l'avait empêchée de créer assez d'œuvres pour participer l'année suivante à la septième exposition.

Marcellin Desboutin
Berthe Morisot, 1876
Pointe sèche, 26 × 17,5 cm.
BIBLIOTHÈQUE NATIONALE DE FRANCE, PARIS

Mais ce n'est pas seulement en tant qu'artiste que Morisot joua un rôle si central dans l'impressionnisme. Elle participa aussi à l'organisation des expositions, en particulier à la sélection des artistes et des œuvres ainsi qu'au montage financier. Elle avait beaucoup posé pour Manet à la fin des années 1860 et au début de la décennie suivante et avait épousé le frère de l'artiste, Eugène, en 1874. Les soirées hebdomadaires données par le couple étaient fréquentées par des artistes et écrivains et devinrent l'un des principaux lieux de partage des idées avant-gardistes à Paris. La saveur de tels événements est parvenue jusqu'à nous grâce à la correspondance et aux carnets de notes de Morisot ainsi qu'au journal tenu par sa fille, Julie. Après avoir été couvée par son tuteur Mallarmé, Julie épousa Ernest Rouart, le fils d'Henri Rouart, ami de Degas qui exposa plusieurs fois avec les impressionnistes. Il y eut de fait en ce jour de mai 1900 un double mariage puisque la cousine de Julie, Jeannie Gobillard, avec qui elle avait vécu après la mort de sa mère, épousa le poète Paul Valéry lors de la même cérémonie.

Morisot est née dans une famille riche et amie des arts. Son père, haut fonctionnaire, encouragea ses trois filles (elles avaient aussi un frère) à devenir artistes et aménagea dans ce but un atelier dans son jardin. À partir de 1857 Berthe prit des cours particuliers avec Joseph Guichard, un ancien élève d'Ingres, avant de se lier d'amitié avec Corot qui la confia à l'un de ses propres étudiants, Achille Oudinot. Morisot fit ainsi la connaissance de nombreux artistes dont Puvis de Chavannes, Daumier, Daubigny, Fantin-Latour et Stevens. Le talent précoce de Morisot était tel que ses œuvres furent régulièrement acceptées au Salon entre 1863 et 1874, date à laquelle on commença à l'associer aux impressionnistes. Ses sœurs ainées, Yves et Edma, qui étaient également douées, avaient entre temps décidé de ne pas poursuivre de carrière artistique. Yves épousa Théodore Gobillard en 1866 et Edma Adolphe Pontillon en 1869.

Morisot était une Parisienne par excellence. Ses parents s'étaient installés dans la capitale en 1852. Ils vivaient à Passy, un quartier bourgeois encore un peu rural mais très bien desservi par les transports en commun. C'est dans cette partie de l'Ouest parisien, près du bois de Boulogne que Berthe s'installa après son mariage et vécut jusqu'à la fin de sa vie dans le grand luxe. Deux de ses premières et plus belles toiles impressionnistes représentent des panoramas de Paris comme si elle désirait ainsi confirmer son appartenance : *Vue de Paris depuis le Trocadéro* de 1871-1872 (Santa Barbara Museum of Art) et *Sur le balcon* de 1872 (collection particulière). Une étude préparatoire détaillée pour cette dernière toile (p. 140) représente sa sœur Yves avec sa fille Paule observant la Seine et, au-delà, le dôme des Invalides depuis sans doute le balcon de la maison familiale des Morisot à Passy. L'artiste ne se cantonna cependant pas aux scènes urbaines et peignit à plusieurs périodes de sa vie des paysages campagnards ou maritimes, que ce soit dans les environs de Paris ou, en direction de l'Ouest, sur les rives de la Seine, sans parler de ceux exécutés lors des séjours en Normandie, en Bretagne, sur les îles Anglo-Normandes, sur l'île de Wight ou dans le Sud. Elle voyagea aussi à l'étranger – Espagne, Belgique, Pays-Bas, Italie – jusqu'à la mort de son mari en 1892.

Morisot était autant adepte de l'aquarelle et du pastel que de la peinture à l'huile. C'est l'unité stylistique qu'elle atteint dans ces trois médiums qui frappe le plus et que l'on pourrait rapprocher de l'idée de croquis en raison de la grande finesse et rapidité d'exécution de ses œuvres. Les critiques trouvaient que sa technique manquait de finition mais il serait plus exact de dire qu'elle se caractérisait par une économie de moyens. Dans son compte rendu de la troisième exposition impressionniste de 1877 Paul Mantz écrit : « Il n'y a, dans tout le groupe révolutionnaire, qu'une impressionniste, c'est Madame Berthe Morisot » avec un « un œil sincère que la main ne trahit jamais ». Il s'étonne « qu'elle ne puisse pas achever une toile, un pastel, une aquarelle » et poursuit par cette formule : « Elle fait des préfaces pour des livres qu'elle n'écrit pas. »

La fluidité et la légèreté de son travail au pinceau dans ses aquarelles sont telles que l'image ne se forme devant nous que pour disparaître l'instant d'après. Les amples coups de pinceau dans *Transport dans le Bois de Boulogne* (p. 141) servent à traduire la vitesse de la calèche sous les arbres alors que la plus grande retenue de *Sur la falaise* (p. 143) est en adéquation avec le lieu plus imposant et escarpé. Ce type de décision démontre l'approche sophistiquée de Morisot face aux problèmes qui pouvaient se poser à elle.

Il semblerait que l'artiste ait été initiée au pastel par Léon Riesner, cousin d'Eugène Delacroix et ami de la famille. Beaucoup de ses pastels étaient destinés à être exposés. *Portrait de madame Pontillon* (p. 142) – la sœur de l'artiste, Edma – l'a été lors de la première exposition impressionniste de 1874. La pose était peut-être inspirée des premiers portraits de Degas mais le contraste entre la monumentalité de la figure enveloppée dans un vêtement noir et les tissus à motifs dominant l'espace baigné de lumière explique pourquoi Morisot étant tant admirée de ses contemporains. De la même façon, dans *Rêveuse* (p. 144), qui fut montré lors de la troisième exposition de 1877, la femme, observée en contre-jour, possède une présence presque irréelle. D'un air languide elle tient un éventail et semble plongée dans la rêverie si ce n'est la mélancolie comme c'est le cas dans beaucoup de portraits de Morisot représentant des jeunes femmes en intérieur. La puissance de telles scènes tient à cette atmosphère d'intimité domestique que l'artiste a su recréer en représentant un décor familier et en faisant preuve d'une grande perspicacité psychologique dans sa description de la vie de famille bourgeoise en cette fin de XIXe siècle.

Comme Renoir, Morisot commença vers 1880 à s'interroger sur la façon dont le style impressionniste devait évoluer pour en particulier s'éloigner de la notion d'éphémère. Elle décida pour ce faire d'affiner son style en étudiant à nouveau les œuvres de maîtres anciens tels que Rubens ou Boucher. Son travail préparatoire devint plus élaboré et elle accorda une plus grande importance à la figure humaine dans ses compositions.

Ses sujets avaient désormais moins à voir avec le réalisme ou la contemporanéité et tendaient plutôt vers le décoratif et le symbolique.

Cette évolution est visible dans son pastel *Paule Gobillard dessinant* (p. 145, en haut) qui fut montré à la huitième exposition impressionniste et que l'on pourrait presque interpréter comme une allégorie. Il se peut que l'œuvre ait été créée en conjonction avec la toile *Paule Gobillard peignant* de 1886-1887 (Musée Marmottan Monet, Paris). On retrouve quinze ans plus tard la petite fille qui était aux côtés de sa mère dans *Sur le balcon* (p. 140). Elle est en train de dessiner – sans doute fait-elle une copie – dans une pièce où l'on aperçoit une statuette de femme nue sur un piédestal. L'éclat des touches de pastel fait écho aux mouvements mêmes de la main de Paule tandis que le traitement de la silhouette de celle-ci, dominant le premier plan, souligne l'assurance avec laquelle l'artiste aborde désormais les figures humaines. C'est le cas aussi dans les études exécutées en vue du *Miroir* de 1891 (collection particulière), une toile inspirée d'une gravure en couleurs de Mary Cassatt datant de la même année et intitulée *La Coiffure*.

Les deux artistes avaient un autre thème en commun à l'époque, celui de la cueillette de fruits. Morisot peignit par exemple *La Cueillette des oranges* en 1889 (collection particulière) et *Le Cerisier* en 1891 (Collection Bruce et Robbi Toll). Ces toiles ont été précédées d'études de figures travaillant entre les branches d'arbres (p. 145, en bas), qui se distinguent par leur lyrisme malgré la difficulté qu'il y avait à intégrer les figures dans l'entremêlement de branches. Le panneau central de la fresque de Cassatt qui ornait le Palais de la Femme à la World's Columbian Exposition de Chicago en 1893 représentait également une scène de cueillette de fruits. Ce sujet possédait une signification symbolique certaine tout en offrant une atmosphère arcadienne. De tels décors plaisaient aux artistes attirés par le symbolisme comme Puvis de Chavannes ou le jeune peintre nabi Maurice Denis qui recherchaient par tous les moyens des antidotes aux thèmes naturalistes en vogue plus tôt dans le siècle. De cette façon, Morisot contribua à la fois à l'impressionnisme et au postimpressionnisme.

Berthe Morisot

Sur le balcon, 1871-1872
Aquarelle avec touches de gouache sur crayon, papier blanc-cassé, 20,6 × 17,3 cm. Cachet de l'artiste.
THE ART INSTITUTE OF CHICAGO

Transport dans le Bois de Boulogne, v. 1874 ou plus tard
Aquarelle, 28,4 × 20,4 cm.
Titre inscrit au verso, cachet de l'artiste.
ASHMOLEAN MUSEUM, OXFORD

Berthe Morisot

Portrait de Madame Edma Pontillon, née Edma Morisot, sœur de l'artiste, 1871
Pastel, 80 × 64,5 cm.
MUSÉE DU LOUVRE (COLLECTION MUSÉE D'ORSAY), PARIS

Sur la falaise, v. 1873
Aquarelle, 18 × 23 cm. Signé.
MUSÉE DU LOUVRE (COLLECTION MUSÉE D'ORSAY), PARIS

Berthe Morisot

Rêveuse, 1877
Pastel sur toile, 50,2 × 61 cm. Signé.
NELSON-ATKINS MUSEUM OF ART, KANSAS CITY, MISSOURI

Étude pour *La Cueillette des oranges*, 1891
Pastel, 61 × 46 cm.
MUSÉE D'ART ET D'HISTOIRE DE PROVENCE, GRASSE

Paule Gobillard dessinant, exposé en 1886
Pastel sur toile, 73 × 60 cm.
MONTE CARLO ART S.A.

Pierre-Auguste Renoir

1841–1919

Il est étonnant de constater le grand nombre de toiles de Pierre-Auguste Renoir que l'on considère désormais comme la quintessence de l'impressionnisme. Prenons comme exemple de ce phénomène *Le Déjeuner des canotiers* de 1880-1881 (The Phillips Collection, Washington, DC), une composition ambitieuse représentant la terrasse de la guinguette Maison Fournaise sur l'île de Chatou dans l'Ouest francilien. Cette banlieue était devenue de plus en plus populaire et accueillait chaque weekend les Parisiens désireux de se détendre. La ville même de Chatou était particulièrement appréciée des rameurs. La toile exsude le bonheur avec ses jeunes gens profitant en plein air de la compagnie les uns des autres, du bon vin et de l'excellente nourriture. Octave Mirbeau écrivit en 1913 : « Peut-être Renoir est-il le seul grand peintre qui n'ait jamais peint un tableau triste. »

Le style du *Déjeuner des canotiers* est aussi charmant que son contenu. Une lumière tachetée virevolte entre les personnages et la nature morte de bouteilles, verres et fruits sur la table. Les couleurs éclatantes parsèment la surface du tableau comme

Marcellin Desboutin
Pierre-Auguste Renoir, 1877
Pointe sèche, 16,3 × 11,7 cm.
BIBLIOTHÈQUE NATIONALE DE FRANCE, PARIS

si elles avaient été appliquées à l'aide d'un goupillon. C'est une toile complexe créée de toute évidence par un artiste au sommet de son art mais elle date pourtant d'une époque où l'avenir de l'impressionnisme était incertain et où l'artiste lui-même remettait en question le fondement même de son style. Une telle ambivalence est hautement caractéristique de Renoir qui, même s'il aimait la compagnie et craignait l'isolement, était d'un naturel capricieux, hésitant, indécis et imprévisible, ce qui causait chez ses nombreux amis beaucoup d'anxiété et de frustration.

La personnalité de Renoir était en grande partie liée à ses origines. Il était né à Limoges d'un père tailleur et d'une mère couturière. La famille était pauvre et le peintre Jacques-Émile Blanche racontait que Renoir parlait comme un ouvrier avec un accent parisien éraillé. Le manque d'argent fit que Renoir entra en apprentissage très jeune dans une fabrique de porcelaines à Paris où il travailla jusqu'en 1858. Peu après il intégra l'atelier de Charles Gleyre, où il côtoya Monet, Sisley et Bazille, avant d'entrer dans le cercle de Manet.

En partie pour des raisons financières Renoir fut tout au long de sa vie particulièrement attentif au style de peinture qu'il produisait et aux lieux où il les exposait. Il choisissait ses amis avec minutie et soignait particulièrement ses relations avec ses mécènes, marchands et collectionneurs. Cette attitude porta ses fruits puisque dans les années 1880 il était aussi bien reconnu en Europe qu'en Amérique et désormais à l'abris de toute inquiétude financière : il pouvait voyager à volonté et devint propriétaire de plusieurs maisons dans le village d'Essoyes, au sud de Troyes dans l'Aube, où était née son épouse Aline Charigot, et d'une propriété à Cagnes-sur-Mer sur la Côte d'Azur. Malgré toutes ses précautions et louvoiements Renoir était cependant dans le même temps un artiste avant-gardiste. C'est après tout lui qui, avec Monet en 1869, adopta le plus tôt une approche impressionniste lorsque les deux hommes s'installèrent pour peindre à la Grenouillère, un restaurant et établissement de bains en plein air très à la mode sur l'île de Croissy, près de Bougival, à l'ouest de Paris. Et c'est Renoir de préférence à tous ses autres confrères qui fut nommé exécuteur testamentaire de Gustave Caillebotte en 1894 et négocia ainsi avec le gouvernement français un legs d'une importance telle qu'il forme aujourd'hui une des bases de la collection nationale d'art impressionniste désormais conservée au musée d'Orsay.

Renoir désirait également développer son propre style au-delà de l'impressionnisme afin de le rendre plus pérenne. Son séjour en Italie entre 1880 et 1882 à la découverte des fresques de Pompéi et des œuvres de Raphaël à Rome le poussa à donner plus d'importance à la forme humaine. Ses toiles représentant des baigneuses en sont la directe conséquence. Il déclara à leur propos : « J'ai fini par ne plus voir que les grandes harmonies sans plus me préoccuper des petits détails qui éteignent le soleil au lieu de l'enflammer. » Le thème des baigneuses demeura très présent dans l'œuvre de Renoir après 1900 alors qu'il était de plus en plus handicapé par une polyarthrite rhumatoïde incurable. La progression de la maladie apparaît de façon frappante sur les photographies et dans les films qui montrent l'artiste émacié en fauteuil roulant, des pinceaux attachés à ses mains à l'aide de bandages, un dispositif lui permettant de disposer plus facilement de ses matériaux et de les contrôler. Ses coups de pinceau étaient devenus par nécessité moins précis et plus libres et ses formes quelque peu exagérées. Des toiles comme *Le Jugement de Paris* de 1913 (Hiroshima Museum of Art) ou *Les Baigneuses* de 1919 (Paris, Musée d'Orsay) ne sont pas toujours comprises de nos jours mais elles ont remporté le respect de Bonnard, Matisse et Picasso.

Renoir était un dessinateur d'une grande polyvalence. Il créait tout aussi bien des vignettes et gribouillages rappelant son travail de peintre sur porcelaine que des séries d'études préparatoires, des illustrations de livres ou de revues, des paysages ou encore des portraits. De par son apprentissage, son approche était fondamentalement artisanale, centrée sur la notion de processus artistique et il est significatif qu'en 1911 il ait écrit la préface d'une réédition du manuel de Cennino Cennini *Il Libro dell'Arte* (v. 1390). Ajoutons que Renoir était un grand adepte, en plus de l'aquarelle, de techniques du XVIIIe siècle telles que le pastel ou la sanguine. Il octroyait en définitive à la peinture une fonction décorative dans les environnements à la fois publics et privés et c'est pourquoi il recherchait à obtenir un équilibre parfait entre forme et couleur.

Trois portraits illustrent la façon exceptionnelle dont Renoir magnait le pastel. Le rendu délicat et subtil de la chevelure, des traits du visage et des tons de peau dans *Tête de jeune femme aux cheveux roux* de 1876-1878 (p. 150) contraste fortement avec la liberté presque sauvage de *Portrait de Cézanne* de 1880 (p. 156) tandis que le traitement plus généreux de *Deux Sœurs* d'environ 1889 (p. 157), avec ses harmonies de rouges, noirs et orange sur fond bleu, est plus typique des portraits que l'artiste exécutait pour ses riches mécènes. On ne s'étonnera pas de savoir que Renoir exposa souvent ses pastels, en commençant en 1879 par un groupe montré dans les locaux de la revue *La Vie moderne*, propriété d'un de ses principaux mécènes, Georges Charpentier.

Les études préparatoires de Renoir en vue de toiles dénotent une large gamme de techniques. Le dessin (p. 151) créé pour la peinture *Acrobates au Cirque Fernando (Francisca et Angelina Wartenberg)* fut exécuté in situ et la toile finale, conservée à l'Art Institute de Chicago, comporte plusieurs modifications dont la disparition de la figure du clown dans le coin inférieur droit et le déplacement des deux jeunes filles plus près du centre de la composition.

L'emphase que Renoir mit sur la figure humaine après son séjour en Italie le poussa à explorer le sujet des couples dansants – quasiment sa dernière incursion dans le domaine du divertissement en ville ou en banlieue – à travers trois toiles de 1883. Deux d'entre elles sont conçues comme des pendants, *Danse à la ville* et *Danse à la campagne* (toutes deux au Musée d'Orsay, Paris), tandis que la troisième, *Danse à Bougival* (Museum of Fine Arts, Boston), est légèrement plus large. Dans l'étude (p. 153) qu'il fit pour *Danse à la campagne*, avec Paul Lhote et Aline Charigot comme modèles, Renoir ne s'intéressa pas tant à la pose qu'au balancement des danseurs. La fluidité du dessin est accentuée par l'usage du pinceau lors des étapes finales ; celui-ci sert à renforcer les contours et opérer quelques modifications.

Le grand chef-d'œuvre du milieu des années 1880 est de l'avis de tous la toile *Les Grandes Baigneuses* de 1887, sous-titrée *Essai de peinture décorative* (Philadelphia Museum of Art), pour laquelle il exécuta pas moins de vingt dessins préparatoires. Aucune composition de Renoir n'a été aussi soigneusement planifiée et il lui fallut plusieurs années pour l'exécuter. La raison n'était pas tant la large superficie de la toile que l'importance que l'artiste lui attribuait. Après avoir vu les œuvres de Raphaël en Italie, Renoir désirait en effet asseoir sa réputation d'artiste classique, en particulier d'artiste classique français. Il s'inspira pour cette toile du sculpteur Girardon et des peintres Boucher, Ingres et Puvis de Chavannes, mais les dessins témoignent aussi du fait que Renoir s'appropria pleinement son sujet. Dans *Deux Femmes nues* (p. 154), il explore l'interconnexion des poses des femmes allongées au premier plan sur la rive et occupant la moitié gauche de la toile. Son étude encore plus raffinée intitulée *Nu* (p. 155) s'attache à la baigneuse qui s'amuse dans l'eau au premier plan dans la moitié droite du tableau. Berthe Morisot vit une partie de ces dessins préparatoires dans l'atelier de Renoir en janvier 1886 et nota dans son journal que Renoir était un dessinateur hors pair, que personne n'explorait la forme humaine comme lui et qu'il serait intéressant de montrer tous ces dessins préparatoires au public qui imaginait souvent à tort que les impressionnistes travaillent de façon très désinvolte.

Morisot avait certes raison mais Renoir pouvait aussi être étonnamment inégal en raison à la fois de sa propension à produire trop et de ses incapacités physiques. Ses travaux à la craie sont néanmoins parmi les plus grands chefs-d'œuvre du dessin du XIXe siècle, dignes héritiers de ceux de Watteau, Boucher, Fragonard et Greuze. *Jeune Femme avec manchon* (p. 152) possède une finesse et une délicatesse remarquables. La façon dont la silhouette se détache sur un fond blanc préparé nous rapproche d'elle mais suggère aussi le froid contre lequel elle se protège. *La Collation* (p. 159) est une scène de moisson datant d'une dizaine d'années plus tard : les personnages sont plus sculpturaux et le traitement plus brut en raison en partie de l'aggravation de la polyarthrite de l'artiste. Mais Renoir, aussi bien que le public, prend plaisir à l'aspect profondément tactile de la finition. On ne s'étonnera pas de savoir que Picasso possédait un dessin similaire, bien que de plus large format, intitulé *La Coiffure* (Musée Picasso, Paris). La technique virtuose de Renoir et son traitement sensible du sujet dans ce dessin de 1900-1901 défiaient Degas et ont dû être une source d'inspiration, si ce n'est de vénération, pour Picasso en particulier pendant sa période néoclassique au début des années 1920, après la naissance du cubisme.

Pierre-Auguste Renoir

Tête de jeune femme aux cheveux roux, v. 1876-1878
Pastel, 50,8 × 40 cm. Signé.
BURRELL COLLECTION, GLASGOW

Étude de deux acrobates (Francisca et Angelina Wartenberg), v. 1879
Craie noire sur papier entoilé, 31,8 × 22,5 cm.
COLLECTION PARTICULIÈRE

Pierre-Auguste Renoir

Jeune Femme avec manchon, 1880-1881
Pastel, 52,7 × 36,2 cm. Signé.
METROPOLITAN MUSEUM OF ART, NEW YORK

Étude pour *Danse à la campagne*, 1883
Pinceau et lavis brun, bleu et noir sur craie noire ou crayon,
49,5 × 30,5 cm.
YALE UNIVERSITY ART GALLERY, NEW HAVEN, CONNECTICUT

Pierre-Auguste Renoir

Deux Femmes nues, étude pour *Les Grandes Baigneuses*, v. 1884-1887
Sanguine et craie blanche sur papier chamois, 110,6 × 124,7 cm. Signé.
HARVARD ART MUSEUMS (FOGG MUSEUM), CAMBRIDGE, MASSACHUSETTS

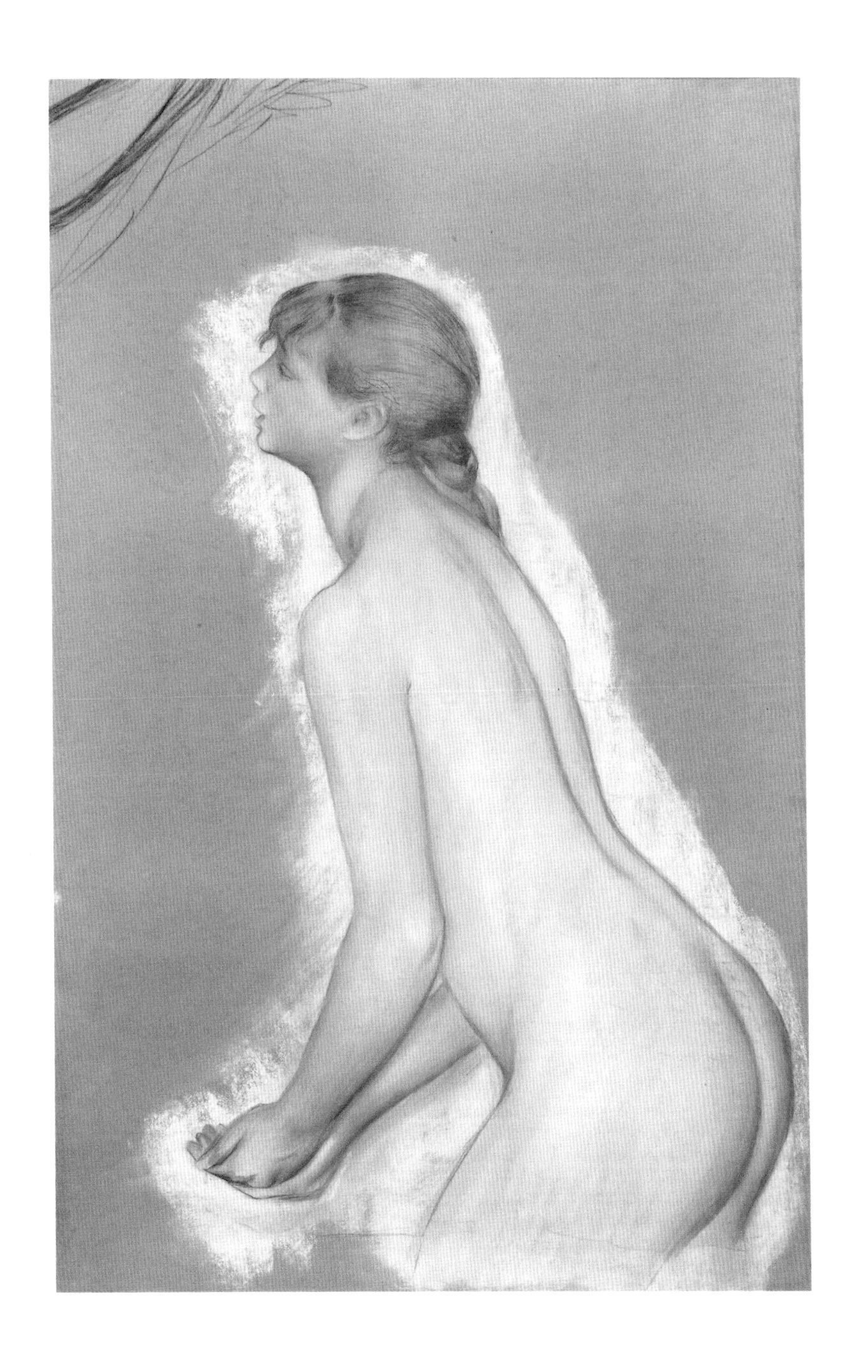

Nu, étude pour *Les Grandes Baigneuses*, v. 1884-1887
Crayon Conté, sanguine, craie blanche et noire sur papier chamois de couleur monté sur toile, 98,9 × 63,5 cm.
THE ART INSTITUTE OF CHICAGO

Pierre-Auguste Renoir

***Paul Cézanne*, 1880**
Pastel, 53,5 × 44,4 cm. Signé et daté.
COLLECTION PARTICULIÈRE

Les Deux Sœurs, v. 1889
Pastel sur papier gris, 79 × 63,5 cm. Signé.
BRISTOL MUSEUM & ART GALLERY

Pierre-Auguste Renoir

Paysage de rivière, 1890
Aquarelle, 25,4 × 33,8 cm. Signé et daté.
ALBERTINA, VIENNE

La Collation, v. 1895
Sanguine et craie noire, 42,3 × 31,5 cm. Signé.
FITZWILLIAM MUSEUM, CAMBRIDGE

Federico Zandomeneghi
1841–1917

1874 fut pour Federico Zandomeneghi une année charnière puisque ce fut celle de son départ de l'Italie pour Paris. Après avoir été inclus dans quatre des expositions impressionnistes (celles de 1879, 1880, 1881 et 1886), il passa le reste de sa vie dans la capitale française. Né à Venise il s'était établi en tant que peintre à Florence en 1862 et avait fréquenté le Caffè Michelangiolo, le lieu de ralliement d'un groupe d'artistes surnommés les Macchiaioli.

Les Macchiaioli s'élevaient contre les académies artistiques officielles de leur pays comme allaient le faire les impressionnistes un peu plus tard en France. Leur nom venait du terme *macchia* qui en italien signifie « tache ». Ils défendaient une approche directe de la nature et peignaient en extérieur dans un style libre qui pouvait selon eux traduire les effets de la lumière et des couleurs plus fidèlement que celui qui était enseigné traditionnellement. Ils préféraient les scènes d'intérieur relatant la vie quotidienne aux thèmes historiques, religieux ou mythologiques. Le réalisme social n'était pas non

Federico Zandomeneghi
Autoportrait, 1875
Huile sur toile, 35,5 × 31,5 cm.
ISTITUTO MATTEUCCI, VIAREGGIO

plus absent de leurs œuvres puisqu'ils se rallièrent immédiatement aux idéaux du Risorgimento, le mouvement indépendantiste qui luttait contre l'empire austro-hongrois et pour la réunification de l'Italie. Beaucoup des Macchiaioli, y compris Zandomeneghi en 1860, participèrent aux campagnes du Risorgimento et peignirent des scènes racontant les épreuves et privations subies par une population appauvrie dans un pays occupé. Parmi ces artistes Zandomeneghi était très proche à cette époque de Giovanni Fattori, Telemaco Signorini, Silvestro Lega et Giuseppe Abbati.

Plusieurs des toiles exécutées par Zandomeneghi après son arrivée à Paris portent la marque de son appartenance au mouvement des Macchiaioli même s'il embrassa l'impressionnisme très tôt. C'est le cas par exemple de *Place d'Anvers* (Galleria d'Arte Moderna Ricci Oddi, Piacenza), qu'il montra lors de la sixième exposition impressionniste de 1880. Zandomeneghi avait été précédé à Paris par plusieurs autres artistes italiens dont le Napolitain Giuseppe de Nittis, qui avait montré cinq toiles à la première exposition de 1874. Au milieu des années 1870 de Nittis, comme Zandomeneghi plus tard, commença à régulièrement utiliser le pastel, généralement pour représenter des activités mondaines comme le spectaculaire *Courses à Auteuil* de 1881 (Galleria Nazionale d'Arte Moderna, Rome).

On pourrait dire que Zandomeneghi troqua en arrivant à Paris le Caffè Michelangioli contre le Café de la Nouvelle-Athènes place Pigalle et qu'il rejeta ses origines italiennes. Son père et son grand-père étaient des sculpteurs qui s'étaient illustrés par leur imposant monument à Titien dans l'église Santa Maria Gloriosa dei Frari à Venise. Zandomeneghi se forma à la peinture – rompant ainsi avec la tradition familiale – d'abord à l'Accademia di Belle Arti de Venise puis à Milan. L'impressionniste qui encouragea le plus les artistes italiens qui venaient à Paris fut Degas et il est intéressant de noter que les deux hommes firent tous deux un portrait du critique et collectionneur italien Diego Martelli qui soutenait les Macchiaioli et s'intéressait aussi aux impressionnistes. Martelli avait hérité d'une villa à Castiglioncello sur la côte toscane où de nombreux Macchiaioli aimaient peindre. Il fit plusieurs séjours à Paris dans les années 1860 et 1870 et devint un grand admirateur des peintres de l'École de Barbizon.

C'est grâce à Zandomeneghi que Martelli s'enthousiasma lors d'un séjour parisien en 1878-1879 pour les impressionnistes : il rencontra Degas et ajouta Pissarro à la liste des artistes qu'il collectionnait. Son portrait par Degas désormais conservé à Édimbourg (National Gallery of Scotland) figurait parmi les œuvres sélectionnées à la quatrième exposition de 1879. Martelli est assis sur un fauteuil en tenailles à côté d'un bureau qui occupe la moitié droite de la composition et devant un sofa comme en lévitation contre le mur du fond. La vue en plongée raccourcit dramatiquement la silhouette du collectionneur qui, les jambes courtes et les bras croisés, fait penser à un hérisson recroquevillé. Le portrait, plus flatteur, que Zandomeneghi fit de lui (Galleria d'Arte Moderna, Florence) était également sur les murs de la quatrième exposition impressionniste. Martelli est assis dans un fauteuil devant une cheminée positionnée presque parallèlement au plan de la toile. Son visage est tourné vers nous comme pour nous accueillir ou engager la conversation. Il porte une calotte et passe ses doigts dans sa barbe : il semble aimable et non sur la défensive. L'artiste a apporté un grand soin à la nature morte d'objets sur la cheminée sur laquelle la pipe du collectionneur a été méticuleusement disposée, ainsi qu'à la montre en gousset et à la bague du modèle. Les valeurs tonales sont délicatement unifiées, ce qui fait ressortir la blancheur de la manchette, du col et du plat en porcelaine.

On retrouve les qualités stylistiques du *Portrait de Diego Martelli* de Zandomeneghi dans ses pastels. C'est presque sans aucun doute Degas, et peut-être aussi de Nittis, qui l'encouragea à utiliser ce matériau qui devint son médium de prédilection à partir des années 1890. Ses sujets étaient souvent proches de ceux de Degas mais leur traitement était totalement différent. Zandomeneghi créait des pastels destinés à être exposés ou vendus par son marchand, Paul Durand-Ruel, et il rencontra un certain succès dans ce domaine.

Les pastels de Zandomeneghi possèdent un fini extrêmement soigné. Comme on pouvait s'y attendre de la part d'un artiste d'origine vénitienne, leurs tons sont riches et leurs couleurs intenses. Son approche du sujet de la femme à sa toilette a donné des résultats parfois surprenants. *Nu féminin au miroir* (p. 164) ressort presque de la violation de la vie privée, non pas à la manière de Degas mais plutôt en raison de l'atmosphère de confinement de ce décor qui enveloppe et protège la figure vulnérable. Une certaine accélération rythmique s'opère dans *Femme se séchant* (p. 168) quand la figure assise se penche pour se sécher les jambes. La diagonale créée par la serviette étirée le long du corps vient souligner le mouvement de friction. La silhouette nue est contrebalancée par les couleurs des meubles qui sont elles-mêmes intensifiées par la lueur du feu. *Le Réveil* (p. 167) est une composition plus large où la tonalité d'ensemble et la lumière venant des rideaux indiquent l'heure matinale. Le contraste entre la figure langoureuse qui s'étire dans le fauteuil et la domestique qui inspecte l'armoire d'un air affairé est renforcé par la disposition des verticales sur toute la surface de la composition. Il y a une pointe d'humour dans la façon dont les visages des deux protagonistes sont en partie dissimulés – une leçon apprise auprès de Degas qui aimait placer ses figures à l'extrême bord de ses compositions. L'atmosphère dans *Près de la cheminée* et *La Perle* est par comparaison presque morose (pp. 166 et 169). Cela est en partie dû à une palette plus douce et une manipulation du pastel plus fluide. Le risque était toujours – en fonction peut-être du type de commande – que les pastels ne versent dans le sentimentalisme.

L'artiste faisait souvent preuve d'une grande finesse d'observation et d'exécution quand il abandonnait l'environnement domestique et choisissait ses modèles dans des lieux publics. Il est probable par exemple qu'il ait repéré la protagoniste de *Jeune Femme au gant bleu* (p. 165) au théâtre. Elle est représentée de dos, la tête tournée de profil. L'arrière-plan sombre souligne la pâleur de la chair exposée, aussi lumineuse que le marbre. La texture veloutée de l'ensemble va de pair avec le tissu de la robe de soirée et du gant qui tient la vedette, venant souligner le geste qui conclut la composition circulaire.

Au Théâtre est quant à lui un pastel plus élaboré puisque nous sommes en quelque sorte positionnés au fond de la loge dans la semi-obscurité (p. 163). L'artiste a ici utilisé une technique déjà explorée par Degas et Renoir : l'œil est forcé de contourner les têtes des deux femmes qui se détachent au premier plan afin d'observer le spectacle qui a lieu sur scène. Cette œuvre peut de fait être interprétée comme une métaphore de l'impressionnisme : l'artiste entrevoit le monde depuis un point de vue privilégié dans le but de le révéler avec la plus grande conviction possible. Le problème est qu'ici Zandomeneghi, qui mourut trois mois après Degas, décide d'utiliser ce procédé bien longtemps après que l'avant-garde a tourné cette page pour s'attaquer à d'autres défis.

Au théâtre, v. 1895
Pastel, 45,7 × 35,6 cm. Signé.
COLLECTION PARTICULIÈRE

Federico Zandomeneghi

Nu féminin au miroir, v. 1893-1900
Pastel, 70 × 40 cm. Signé.
COLLECTION PARTICULIÈRE

Jeune Femme au gant bleu, v. 1895-1896
Pastel, 46 × 38 cm. Signé.
COLLECTION PARTICULIÈRE

Federico Zandomeneghi

Près de la cheminée, v. 1894
Pastel, 49 × 60 cm. Signé.
COLLECTION PARTICULIÈRE

Le Réveil, 1895
Pastel monté sur panneau, 60 × 72 cm. Signé.
PALAZZO DEL TE, MANTOUE

Federico Zandomeneghi

Femme se séchant, v. 1896-1898
Pastel, 45 × 37 cm. Signé.
COLLECTION PARTICULIÈRE

La Perle, v. 1893
Pastel, 35 × 44. Signé.
COLLECTION PARTICULIÈRE

Mary Cassatt

1844–1926

Deux gravures de Degas datant de la fin des années 1870 nous fournissent des informations précieuses sur la personnalité de Mary Cassatt en tant que femme et artiste. Dans chacune, deux figures se tiennent dans une galerie du musée du Louvre – la galerie étrusque et la galerie des peintures (vraisemblablement la Grande Galerie d'aujourd'hui). La femme assise consultant un guide est très certainement dans les deux cas la sœur ainée de Mary, Lydia. La femme debout, de dos et à la silhouette saisissante semble totalement absorbée par les œuvres, indifférente à celle qui l'accompagne. Il s'agit de Mary Cassatt, vêtue certes à la mode mais de façon bien à elle, d'une « robe de promenade » consistant en une jupe tubulaire et une veste avec un corsage-cuirasse, ainsi que d'un col châle, un large chapeau et une ombrelle. La mode et ses accessoires faisaient intégralement partie chez Degas de la description de la vie moderne et il vit en Cassatt un modèle parfait. Sa manière de se vêtir et sa pose frappante symbolisent ses principales qualités : sens de la mode, indépendance, éclat, obstination et confiance en soi.

Mary Cassatt
Autoportrait, v. 1880
Aquarelle, 33 × 24,4 cm.
NATIONAL PORTRAIT GALLERY, WASHINGTON, DC

Degas avait vu un portrait créé par Cassatt au Salon de 1874 et l'avait décrit à un collègue artiste comme étant l'œuvre de quelqu'un « qui sent comme moi ». Dans l'autoportrait que Cassatt fit en 1878 (p. 174) à l'aquarelle et à la gouache, la similarité d'approche qui existait entre les deux artistes transparaît ici dans la pose nonchalante et la courbe sinueuse du corps. Degas demanda expressément à Cassatt d'exposer avec les impressionnistes et elle contribua aux quatrième (pp. 175 et 176), cinquième, sixième et huitième expositions du groupe qui se tinrent respectivement en 1879, 1880, 1881 et 1886. Degas renforçait ainsi la présence des peintres de figures au détriment de ceux de paysages.

Cassatt ne fut cependant jamais une élève de Degas et elle ne fut pas non plus profondément influencée par lui. Même si elle était dotée d'une forte personnalité, elle trouvait, comme la plupart des gens, Degas intimidant. C'était de fait plus des âmes sœurs et leurs relations professionnelles étaient fondées sur un respect mutuel. Cela transparaît par dessus tout dans leur intérêt commun pour la gravure. Les impressionnistes n'étaient plus satisfaits par les méthodes de gravure traditionnelles et, comme dans d'autres domaines de leur travail artistique, ils expérimentèrent des techniques nouvelles. Ils étaient aussi prêts à exposer des tirages des premiers stades de leurs gravures en tant qu'œuvres à part entière, parfois sous forme de séries. Cet enthousiasme mena à la création de la Société des peintres-graveurs français en 1889 par Félix Bracquemond et Henri Guérard (le mari d'Eva Gonzalès). Deux expositions eurent lieu à la galerie de Paul Durand-Ruel, contribuant à la renaissance de la gravure pendant les années 1890. Peu après sa première rencontre avec Cassatt, Degas commença à planifier le lancement d'une revue intitulée *Le Jour et la nuit* pour laquelle les deux artistes, ainsi que Bracquemond, Pissarro et Raffaëlli, devaient créer des gravures. En raison en partie de la tendance à la procrastination de Degas, la revue ne vit jamais le jour mais une partie du travail qui avait été créé pour ce projet fut montrée lors de la cinquième exposition impressionniste.

Le succès que rencontra Cassatt dans le domaine de la gravure la conduisit à se lancer avec Degas et Pissarro dans des expérimentations avec la couleur. Le point culminant de ce projet fut pour Cassatt la présentation d'une suite de dix gravures en couleurs dépeignant des scènes de la vie d'une femme moderne lors de sa première rétrospective de son œuvre organisée par Durand-Ruel en 1891. *La Coiffure* (p. 177) est un dessin préparatoire pour la dernière image de cette série. Inspiré par les gravures de l'artiste japonais Kitagawa Utamaro, qu'elle avait admirées lors d'une exposition organisée par Siegfried Bing à l'École des Beaux-Arts en 1890, cet ensemble de gravures devrait jouer un rôle déterminant dans toute analyse de l'œuvre de Cassatt puisqu'il démontre la puissance de son dessin, son habilité à obtenir des tons délicats et la nature empathique de son approche.

Cassatt est née à Allegheny City, dans la banlieue de Pittsburgh en Pennsylvanie. Elle avait une sœur ainée et trois frères. Le fait que son père emmena toute la famille en voyage à travers l'Europe entre 1851 et 1855 et que son frère aîné devint l'un des vice-présidents de la compagnie de chemins de fer de Pennsylvanie témoigne de la richesse de sa famille. Déterminée à devenir artiste, Cassatt intégra la Pennsylvania Academy of Fine Arts en 1860, où elle fut une des protégées de John Sartain qui s'était spécialisé dans la gravure. L'attrait de l'Europe fut cependant le plus fort et elle s'installa à Paris en 1865. Avec la vitalité qui la caractérisait elle étudia dans l'atelier de plusieurs artistes – ceux de Jean-Louis Gérome, Charles Chaplin, Thomas Couture, Pierre-Édouard Frère et Paul Constant Soyer. Ses progrès furent tels que l'une de ses toiles fut acceptée au Salon de 1868. Le déclenchement en 1870 de la guerre avec la Prusse ralentit la progression de sa carrière et Mary retourna en Amérique pendant la durée du conflit. Quand elle revint en Europe elle fit des séjours de plusieurs mois en Italie, en Espagne et en Belgique où elle visita des musées, fit des copies et rencontra d'autres artistes. Elle était à bien des égards presque surqualifiée en tant qu'artiste quand elle revint à Paris mais son désir de rencontrer le succès au salon la conduisit à s'autocensurer pour un temps. Son amitié avec les impressionnistes à partir du milieu des années 1870 lui permit d'échapper à ce dilemme et elle déclara plus tard à propos de ce moment : « Déjà, j'avais reconnu mes véritables maîtres. J'admirais Manet, Courbet, Degas. Je haïssais l'art conventionnel. Je commençais à vivre. » À cette époque plusieurs membres de sa famille avaient décidé de la rejoindre en France et ils finirent par tous occuper un grand appartement magnifiquement meublé à Paris ainsi que le château de Beaufresne à Mesnil-Théribus, dans la vallée de l'Oise au nord de la capitale. L'activité frénétique qui était montée en puissance dans les années 1880 et 1890 commença à ralentir à l'orée du siècle nouveau avec une place moins importante octroyée à la gravure. Le style des toiles et pastels devint plus libre avec un tracé plus spontané et des couleurs plus puissantes. Après la mort de ses parents dans la première moitié des années 1890, la possibilité de voyager à nouveau se présenta. Un séjour en Amérique en 1898 fut suivi d'un voyage en Égypte en 1910-1911. Mais Cassatt commençait à être paralysée par la peur de devenir aveugle et la série d'opérations de la cataracte qu'elle subit en 1915 ne fit pas disparaître cette angoisse. En 1911, ses frères et sa sœur étant tous décédés, elle ressentit une grande solitude. Elle ne trouva du soulagement que grâce à son nouveau rôle de conseillère et intermédiaire auprès de riches et puissants collectionneurs américains. Elle était particulièrement proche de Mrs Havemeyer, mais elle conseillait également Mrs Potter Palmer, James Stillman, les Whittemore et les Sear. C'est en partie à elle que l'on doit aujourd'hui la présence sur le sol américain de tant de chefs-d'œuvre impressionnistes. Pendant la Première Guerre mondiale, elle se réfugia en Suisse puis reprit son rôle de châtelaine à Beaufresne où elle mourut.

Les débuts de Cassatt à la quatrième exposition impressionniste reçurent les éloges de la critique. La modernité de ses sujets et de son style transparaissait immédiatement dans les toiles et pastels qu'elle soumit. *Portrait de Moïse Dreyfus* (p. 175) est l'un des rares portraits masculins qui ne soit pas celui d'un membre de sa famille. Il est remarquable par sa composition pyramidale et la disposition du modèle bas sur la toile devant un mur neutre. Le corps est légèrement tourné mais le visage nous regarde directement et le fait qu'il se détache devant le fond vide le met en valeur. Cassatt eut souvent recours à ce genre de composition pyramidale pour remplir l'espace de sa toile et à la disposition de ses figures bien en vue au premier plan, ce qui donnait une grande amplitude à l'ensemble.

Lors de cette exposition, Cassatt présenta aussi *Femme dans une loge* (p. 176) et quelques autres travaux du même acabit – tous à la hauteur des sujets similaires exposés par Renoir et Degas. Dans ce pastel, elle parvient à représenter les effets particuliers de l'éclairage artificiel tandis que le flou des balcons à l'arrière-plan lui sert à traduire l'ampleur de l'espace théâtral. L'éventail est ici plus qu'un accessoire : c'est un outil permettant de cacher en partie le théâtre et de protéger l'anonymat de la jeune femme confinée dans le secret de sa loge. Comme chez Degas, nous ne savons plus qui observe qui ni à quelle fin.

Cassatt reçut en 1892 la commande d'une grande fresque (aujourd'hui présumée détruite) pour le Palais de la Femme à la World's Columbian Exhibition de Chicago et choisit pour sujet la femme moderne. Mais c'est dans ses toiles et pastels qu'elle s'attela à l'exploration la plus poussée de la vie domestique à la fois formelle et informelle. Beaucoup de ses œuvres représentent des mères s'occupant de leurs enfants à l'intérieur de la maison ou en dehors et elles décrivent des moments de grande intimité (pp. 178-182). Aucun artiste n'a mieux représenté le thème de la relation mère-enfant dans l'art des XIXe et XXe siècles que Mary Cassatt. Les étreintes et caresses qu'elle montre puisent leur origine jusque dans l'iconographie religieuse du XIIIe siècle mais c'est avant tout la notion de chaleur humaine qui est transmise de façon particulièrement émouvante dans ses toiles et pastels. Cassatt combine l'agitation des divins enfants de Léonard de Vinci avec la calme assurance de ceux de Raphaël et la confiance songeuse dont font preuve ceux de Sassoferrato. L'audace de Cassatt provient en partie du fait qu'elle pousse ses figures sur le devant de la scène mais aussi de la pureté de son dessin et de la résonance de ses couleurs qui nous atteignent immédiatement. Nul besoin de médiation ou d'interprétation : ce que l'on voit est ce que l'on voit. Et c'est aussi sans conteste le cas de ses portraits d'enfants seuls (p. 183).

Un des critiques qui a immédiatement saisi la démarche de Cassatt fut Joris-Karl Huysmans, dont le style de vie était pourtant fort éloigné de celui de l'artiste. Il écrivit dans *L'Art moderne* (1883) que c'était « une artiste qui ne doit plus rien à personne maintenant, une artiste toute primesautière, toute personnelle [...] c'est un miracle comme dans ces sujets [...] Melle Cassatt a su échapper au sentimentalisme sur lequel la plupart [...] ont buté [...] c'est la vie de famille peinte avec distinction [et avec] une pénétrante sensation d'intimité [...] ».

Mary Cassatt

Portrait de l'artiste, 1878
Aquarelle et gouache, 60 × 41,1 cm.
METROPOLITAN MUSEUM OF ART, NEW YORK

Portrait de Moïse Dreyfus, 1879
Pastel sur papier chamois de couleur, 81,2 × 65,2 cm.
PETIT PALAIS, MUSÉE DES BEAUX-ARTS DE LA VILLE DE PARIS

Mary Cassatt

Femme dans une loge, 1879
Pastel et peinture métallique dorée sur toile, 65,1 × 81,3 cm.
PHILADELPHIA MUSEUM OF ART

La Coiffure, 1891
Crayon gras noir et crayon, 38,3 × 27,7 cm. Signé.
NATIONAL GALLERY OF ART, WASHINGTON, DC

Mary Cassatt

Première Caresse de bébé, v. 1890
Pastel, 76,2 × 61 cm.
NEW BRITAIN MUSEUM OF AMERICAN ART, CONNECTICUT

Jeune Femme portant un enfant nu, 1889
Pastel et fusain sur papier gris, 74,5 × 62,5 cm. Signé.
MUSÉE D'ORSAY, PARIS

Mary Cassatt

La Leçon de banjo, v. 1894
Pastel sur pastel à l'huile, papier vélin brun clair,
71,1 × 57,2 cm. Signé.
VIRGINIA MUSEUM OF FINE ARTS, RICHMOND

Nurse lisant à une petite fille, 1895
Pastel sur papier monté sur toile, 60 × 73 cm. Signé.
METROPOLITAN MUSEUM OF ART, NEW YORK

Mary Cassatt

Mère coiffant les cheveux de son enfant, v. 1901
Pastel sur papier gris, 64,1 × 80,3 cm. Signé.
BROOKLYN MUSEUM, NEW YORK

Margot en robe orange, 1902
Pastel sur papier monté sur toile, 72,4 × 59,4 cm. Signé.
METROPOLITAN MUSEUM OF ART, NEW YORK

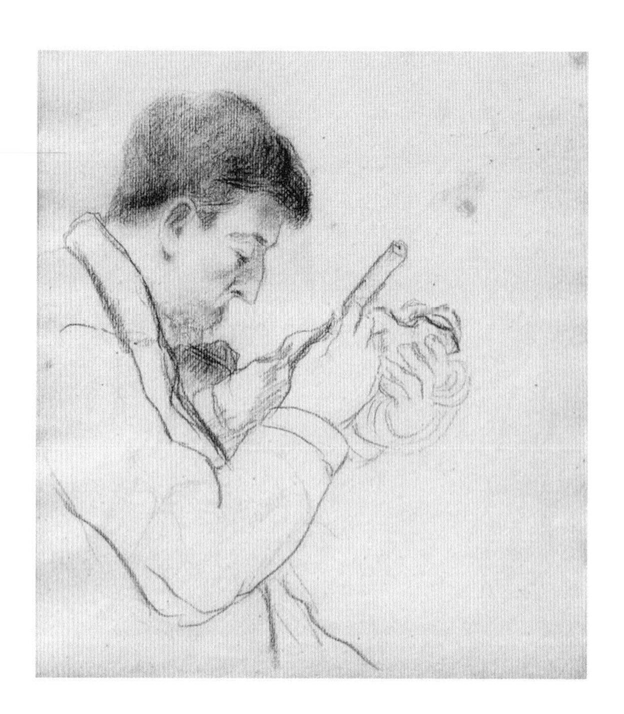

Paul Gauguin

1848–1903

Quiconque s'intéresse à l'œuvre de Paul Gauguin doit apprendre à démêler le mythe de la réalité. L'artiste lui-même avait tendance, à distordre les faits et son nomadisme était peut-être le signe d'une quête identitaire ainsi que d'une volonté d'enrichir son art. Né à Paris, il eut une jeunesse mouvementée. Il passa une partie de son enfance au Pérou puis, après être allé à l'école en France, il servit six ans en mer (1865-1871) avant d'entamer une carrière dans le monde financier en tant qu'agent de change qu'il abandonna en 1882. Ses parents moururent alors qu'il était encore jeune mais il eut la chance que l'un de ses tuteurs, Gustave Arosa, soit un riche homme d'affaires, propriétaire d'une importante collection d'art français du XIXe siècle dont beaucoup d'œuvres impressionnistes. Le frère de Gustave, Achille, possédait une collection similaire et était très bien introduit dans le monde des affaires et de l'art. On ne sait pas si les collections des frères Arosa (celle de Gustave fut vendue aux enchères en 1878 et celle d'Achille en 1891) ont provoqué l'intérêt de Gauguin pour l'art, mais elles l'ont certainement encouragé.

Camille Pissarro
Gauguin sculptant une statuette, 1880
Craie noire, 29,5 × 23,3 cm.
NATIONALMUSEUM, STOCKHOLM

Son mariage à la Danoise Mette Gad en 1873 poussa Gauguin à commencer à envisager sérieusement son avenir. Il choisit progressivement l'art au détriment des affaires. Il était déjà peintre amateur quand l'une de ses toiles fut acceptée au Salon de 1876. Deux ans plus tard, il entama une collection d'art impressionniste qu'il utilisa tout d'abord comme source d'inspiration pour sa propre peinture puis comme rempart contre les problèmes financiers.

Gauguin était un artiste fondamentalement autodidacte et il veilla jalousement à son indépendance tout au long de sa vie. En témoigne sans doute plus que tout le fait qu'il se détourna de Paris à de nombreuses reprises, préférant puiser son inspiration dans des lieux de plus en plus éloignés de la capitale : la Bretagne (1886, 1888-1890 et 1894), suivie des possessions françaises outremer – la Martinique (1887) et les îles du Pacifique sud (Tahiti en 1891-1893 et 1895-1901 et les Marquises en 1901-1903). Le talent de Gauguin fut heureusement reconnu par Pissarro, Degas et indirectement par Cézanne. Par leur entremise, il fut invité à participer à cinq des expositions impressionnistes, à commencer par la quatrième en 1879. Gauguin a certes débuté tard mais il serait inexact de dire que son talent s'est développé lentement dans la mesure où, en tant qu'autodidacte, il ne suivait à la lettre aucun style ou théorie et poursuivait donc sa propre voie.

Gauguin n'était pas pour autant insensible à la notion de tradition. Il n'a pas fait à notre connaissance de copie d'œuvre de maître ancien mais il voyageait partout avec une sélection de gravures, photographies et reproductions d'œuvres de tous les pays, époques et écoles. Un certain dualisme est en conséquence à l'œuvre dans son travail car même s'il recherchait et abordait délibérément des sujets nouveaux, il les présentait souvent en termes symbolistes inspirés de l'iconographie religieuse ou mythologique. À cet égard Gauguin a plus revigoré l'art qu'il ne l'a transformé. Sa principale critique envers les impressionnistes concernait leur manque d'imagination. Copier la nature ne suffisait pas selon lui. En 1888, il écrivit à Émile Schuffenecker : « L'art est une abstraction : tirez-la de la nature en rêvant devant et pensez plus à la création qu'au résultat [...]. » En Bretagne Gauguin commença à adopter deux styles très voisins, le cloisonnisme et le synthétisme, qui reposaient sur l'unité et la clarté de la composition par le biais de contours affirmés et de taches de couleur nettes.

Doté d'un esprit combatif, d'une personnalité égocentrique et d'une attitude grandiloquente, Gauguin fit preuve d'une ambition sans frein dont les conséquences confinèrent à l'autosacrifice : son couple éclata et Mette l'éloigna de leurs cinq enfants ; ses difficultés financières constantes menèrent à la pénurie de matériel artistique de base et à la négligence de soi ; sa trop grande dépendance aux autres fut exacerbée par la lenteur des communications avec les territoires reculés. À cela s'ajoutèrent des périodes de maladie et de grand doute, en particulier à la fin de sa vie dans les mers du Sud. De peur d'être mal compris ou interprété, Gauguin écrivit, ou tenta d'écrire, des textes de défense qui mêlaient autobiographie, théorie de l'art, histoire et anthropologie. Mais ce prosélytisme et cette autopromotion conduisirent souvent à des désaccords et embarras. Beaucoup de ceux qui l'avaient soutenu à l'origine étaient souvent sot ignorés soit remis en cause. Pissarro déclara dès 1891 que Gauguin n'était pas un « voyant » mais un « malin ». Il n'en demeure pas moins que ce fut lui qui établit la notion de liberté artistique : le sujet, le style, le traitement et les matériaux devaient être le choix de l'artiste seul et non dictés ou influencés par un quelconque ensemble de règles préétablies.

Gauguin était un artiste complet. Peintre mais aussi sculpteur, céramiste, tailleur de bois et graveur, il a été contraint, en raison de circonstances exceptionnelles, d'imaginer parfois de nouvelles façons de créer de l'art. Ses méthodes de travail ignoraient la hiérarchie traditionnelle entre peinture, dessin et gravure, tout comme dans son activité de peintre il faisait se mêler le dessin et la couleur. Son pastel *Le Sculpteur Aubé et son fils, Émile* (p. 188) est caractéristique de l'indépendance de son approche. Conçu comme un diptyque, il représente deux personnages qui s'ignorent mutuellement et ne partagent peut-être même pas le même espace puisqu'ils semblent placés à des niveaux différents. Le seul élément unificateur est le vase en céramique sur l'établi au premier plan.

La Bretagne fut le premier des nouveaux territoires explorés par Gauguin. Il commença à travailler à Pont-Aven puis plus tard au Pouldu. *Bretonne* (p. 189, en haut) est une étude créée à l'origine en vue de la toile *Bretonnes causant, ou La Danse des quatre Bretonnes* de 1886 (Bayerische Staatsgemäldesammlungen, Munich) puis d'un vase conservé aux Musées Royaux d'Art et d'Histoire à Bruxelles. L'influence à la fois de Degas et de Pissarro transparaît clairement dans cette vision de dos d'une femme aux mains sur les hanches ; même si son visage est dissimulé, la pose lui confère beaucoup de caractère. De son côté, *Jeune Garçon nu, tenant son pied droit à deux mains* (p. 189, en bas), un dessin préparatoire pour une toile du même titre datant de 1888 (Kunsthalle, Hambourg), a de prime abord tout de l'étude académique mais les contours épais de la partie inférieure du corps sont en fait caractéristiques du synthétisme que Gauguin maîtrisera parfaitement en 1890. On retrouve de tels contours puissamment marqués dans sa *Tête de jeune Martiniquaise* (p. 190) et surtout dans son fusain représentant madame Ginoux (p. 191) en préparation de la toile exécutée à Arles en 1888, *Café de nuit, Arles* (musée Pouchkine, Moscou). Les deux dessins – connus de van Gogh qui avait invité Gauguin à partager un atelier avec lui à Arles pendant l'automne 1888 – sont indicatifs du respect que Gauguin vouait respectivement à Delacroix et Raphaël.

Gauguin avait certes une personnalité changeante, à la limite souvent de la sauvagerie, mais il travaillait de façon lente et méthodique afin de faire siens le paysage et l'atmosphère d'un lieu. Il couvrait ses carnets de myriades d'esquisses dans le but de s'en servir plus tard. Pendant ses deux séjours à Tahiti, il désira se mêler à la population et avoir une connaissance approfondie de son histoire et de ses coutumes tout en découvrant les beautés du paysage tropical. Il mena ce projet avec une réussite mitigée. Tout comme la Bretagne commençait à être exploitée par le tourisme, Tahiti et les îles Marquises étaient les victimes du colonialisme. Gauguin n'était pas ignorant de cette situation et on peut dire qu'il fut paradoxalement complice dans les deux cas de cette évolution.

Tahitienne accroupie (p. 192, en haut) fait partie d'un travail préparatoire en vue de la toile *Nafea faaipoipo (Quand te maries-tu ?)* de 1892 (collection particulière). On retrouve cette figure repliée sur elle-même avec ses fermes contours curvilignes et ses zones de couleur soigneusement marquées dans beaucoup d'autres compositions. L'éventail (p. 192, en bas) avec ses plis visibles indiquant qu'il était destiné à être utilisé plutôt qu'à décorer est fondé sur le tableau *Arearea*, dit aussi *Joyeusetés*, de 1892 (Musée d'Orsay, Paris) et a probablement été créé en France entre les deux périodes tahitiennes de Gauguin. La scène représente sans doute une fête religieuse puisque l'on distingue des fidèles se recueillant devant un sanctuaire à l'arrière-plan. Le style est lyrique avec ses arabesques, ses couleurs étincelantes et la présence rare du blanc au premier plan. Le peu de relief des figures dénote une référence à l'art assyrien et égyptien.

Les deux aquarelles *Pape Moe (Eau mystérieuse)* (p. 193) et *Te Arii Vahine (La Reine de beauté)* (p. 194) sont liées à deux toiles datant respectivement de 1893 et 1896. Même s'il avait assisté lui-même à une scène pendant laquelle une jeune fille avait bu de l'eau qui coulait de la roche avant de plonger et de disparaître, Gauguin s'était inspiré pour la première aquarelle d'une photographie de Charles Spitz. Dans la seconde, le thème est tahitien mais l'inspiration vient de l'iconographie classique par le truchement des œuvres de Cranach le Jeune et de l'*Olympia* de Manet. Il est probable que ces aquarelles aient été en fait exécutées après les toiles et non avant en tant qu'études préparatoires. Ces œuvres à part entière indiquent que Gauguin préférait appliquer l'aquarelle avec parcimonie et dans un état presque sec, laissant au papier le soin d'apporter la luminosité.

Il existe beaucoup d'études de têtes de Tahitiennes datant des dernières années de la vie de Gauguin. *Visages tahitiens (vue frontale et profils)* (p. 195) est l'une des plus admirables d'entre elles. Elle a été exécutée en liaison avec une toile, *Deux Tahitiennes* de 1899 (Metropolitan Museum of Art, New York), dans laquelle la figure centrale porte un plateau d'offrandes de pétales ou de fruits. Les trois têtes sur le dessin appartiennent selon toute vraisemblance à cette même personne, mais la mise en page rappelle une représentation des trois âges de l'homme. L'étude est remarquable par son caractère direct et elle ne minimise pas les traits lourds, presque sculpturaux, typiques des femmes tahitiennes dans l'œuvre de Gauguin. Le fusain a été appliqué avec douceur ; seuls quelques contours ont été corrigés et l'ombrage n'est accentué que dans quelques rares zones. La blancheur du papier donne aux visages un aspect quasi fantomatique sans pour autant leur ôter leur majesté. L'image est ainsi dotée de cette beauté hypnotique que Gauguin trouvait chez les peuples des îles des mers du Sud auxquels il était profondément dévoué à la fin de sa vie et parmi lesquels il mourut.

Paul Gauguin

Le Sculpteur Aubé et son fils, Émile, 1882
Pastel sur papier gris monté sur carton, 53,8 × 72,8 cm.
Signé et daté.
PETIT PALAIS, MUSÉE DES BEAUX-ARTS DE LA VILLE DE PARIS

Bretonne, 1886
Fusain et pastel, 48 × 32 cm.
BURRELL COLLECTION, GLASGOW

Jeune Garçon nu, tenant son pied droit à deux mains, 1888
Sanguine, pastel et fusain, 59,5 × 41,5 cm, mise au carreau.
MUSÉE DU LOUVRE (COLLECTION MUSÉE D'ORSAY), PARIS

Paul Gauguin

Tête de jeune Martiniquaise, 1887
Pastel, 36 × 27 cm. Signé.
VAN GOGH MUSEUM, AMSTERDAM

L'Arlésienne (Madame Ginoux), 1888
Fusain et pastel rehaussés de craie blanche sur papier beige,
56,1 × 49,2 cm.
THE FINE ARTS MUSEUMS, SAN FRANCISCO

Tahitienne accroupie, étude pour *Nafea faaipoipo*, 1892
Pastel et fusain avec estompe, 55,5 × 48 cm, mise au carreau.
THE ART INSTITUTE OF CHICAGO

Paul Gauguin

Éventail décoré de motifs tirés de la toile *Arearea (Joyeusetés)*, v. 1894-1895
Aquarelle et gouache sur crayon sur lin, 28,6 × 58,4 cm. Signé.
HOUSTON MUSEUM OF FINE ARTS

Pape Moe (Eau mystérieuse), 1893
Aquarelle et craie noire avec encre, 35,4 × 25,5 cm. Signé.
THE ART INSTITUTE OF CHICAGO

Paul Gauguin

Te Arii Vahine (La Reine de beauté), v. 1896-1897
Aquarelle sur craie noire, 17,6 × 23,5 cm.
PIERPONT MORGAN LIBRARY, NEW YORK

Visages tahitiens (vue frontale et profils), v. 1899
Fusain, 41 × 31,1 cm.
METROPOLITAN MUSEUM OF ART, NEW YORK

Gustave Caillebotte

1848–1894

La peinture n'était qu'un des multiples centres d'intérêt de Gustave Caillebotte. Ce grand amateur de navigation – à la voile, à la rame, en canoë – concevait par exemple ses propres bateaux. C'était par ailleurs un horticulteur passionné, spécialiste des orchidées, et un grand philatéliste dont la collection constitue la base de celle de la British Library. Caillebotte partageait ces passions avec son jeune frère, Martial, qui était un musicien de talent.

Il n'en reste pas moins que la contribution de Caillebotte – à la fois en tant que peintre et collectionneur – à l'impressionnisme fut immense, et ce malgré une reconnaissance tardive. La collection qu'il entreprit à partir de la moitié des années 1870 comprenait principalement des œuvres d'impressionnistes qu'il acheta certainement en premier lieu pour leur qualité mais aussi pour aider ses amis artistes financièrement. La grande importance qu'il accordait à cette collection transparaît dès 1876 dans un projet de testament dans lequel il affirme son intention de léguer ces œuvres à l'État français

Gustave Caillebotte
Autoportrait, 1892
Huile sur toile, 40 × 32 cm. Signé.
MUSÉE D'ORSAY, PARIS

pour qu'elles soient en particulier exposées au musée du Luxembourg à Paris, qui montrait alors de l'art contemporain, avant d'être accrochées sur les murs du Louvre. L'impressionnisme étant fondamentalement avant-gardiste et ayant donc peu de chances d'être considéré comme acceptable par la direction du musée du Luxembourg, c'était là une requête provocatrice de la part de Caillebotte dont les collègues impressionnistes doutèrent alors des capacités de jugement. Après sa mort en 1894 à l'âge de 46 ans, Martial Caillebotte et Renoir, ses exécuteurs testamentaires, eurent en effet beaucoup de mal à convaincre le conservateur du musée du Luxembourg Léonce Bénédite d'honorer au nom de l'État français la volonté de l'artiste. La collection comprenait une soixantaine d'œuvres dont plusieurs par les mêmes artistes. Le musée avait peu d'espace d'exposition et son règlement stipulait qu'un maximum de trois œuvres d'un même artiste pouvaient être exposées au même moment. Après d'âpres négociations auxquelles participèrent les impressionnistes eux-mêmes, Bénédite obtint en 1896 de l'État français qu'il accepte le legs de quarante œuvres. Cette décision renforça la réputation des impressionnistes et le legs Caillebotte forme aujourd'hui le noyau des collections du Musée d'Orsay. D'autres collectionneurs – en particulier Étienne Moreau-Nélaton, le comte Isaac de Camondo, Auguste Pellerin et Antonin Personnaz – décidèrent de donner leur collection à leur tour.

Caillebotte avait pu s'adonner à toutes ses passions en raison de la fortune familiale. Grâce à ses talents d'entrepreneur et à ses investissements, son père avait acquis une propriété à Yerres au sud-ouest de Paris et une maison rue Miromesnil, dans une partie de la ville récemment réaménagée par le baron Haussmann, proche de la Gare Saint Lazare et du pont de l'Europe. Ces deux lieux et leurs environs immédiats apparaissent sur de nombreuses toiles de Caillebotte datant de la première moitié des années 1870. Les deux propriétés étant étroitement liées à ses parents, il décida finalement de les vendre. En 1879 il acheta avec Martial un appartement boulevard Haussmann, et l'année suivante une propriété au Petit-Genevilliers dans la banlieue ouest de Paris, sur la très chic rive de la Seine faisant face à Argenteuil où se trouvait le siège du Cercle de voile qui organisait des régates en France.

Caillebotte fit ses études au prestigieux lycée Louis-le-Grand puis passa l'examen du barreau avant d'effectuer son service militaire pendant la guerre franco-prussienne de 1870-1871. Encouragé ensuite par l'artiste italien Giuseppe de Nittis, qui connaissait beaucoup d'impressionnistes, il intégra l'atelier du peintre du Salon Léon Bonnat et rentra en 1873 à l'École des Beaux-Arts. *Femme nue étendue sur un divan* (p. 199), un pastel d'une grande perfection sans aucun doute destiné à être exposé au Salon, est représentatif de la tradition académique avec sa palette limitée. Les qualités tonales révèlent une grande maitrise du médium mais la proximité du modèle ainsi que le point de vue et la pose sont plus inhabituels. La représentation franche et sans détours de sujets contemporains allait devenir la marque de fabrique de Caillebotte, à des années lumière des thèmes historiques, religieux ou allégoriques qu'on aurait pu attendre de la part de quelqu'un formé à l'École des Beaux-Arts.

L'artiste se lia avec les impressionnistes par l'intermédiaire sans doute de Degas et de son cercle. Degas était certainement sensible au goût de Caillebotte pour les sujets urbains et à son traitement très personnel des intervalles spatiaux qui donnait à son œuvre un aspect si indépendant et moderne. Caillebotte participa à cinq des huit expositions impressionnistes (celles de 1876, 1877, 1879, 1880 et 1882) et joua un rôle crucial dans leur organisation et leur financement. Ses œuvres reflètent la diversité de ses centres d'intérêt puisqu'elles englobent des scènes urbaines, des paysages ruraux, fluviaux et maritimes, ainsi que des natures mortes. Il aborda chacune de ces catégories avec un regard neuf et original et son œuvre se démarque dans la production impressionniste par la manière dont elle opère une véritable fusion entre réalisme et modernisme. La qualité exceptionnelle de son travail n'a été que brièvement saluée de son vivant et Caillebotte disparut des radars de la critique après la rétrospective que Paul Durand-Ruel lui consacra en 1894. C'est en partie l'acquisition en 1964 de sa toile imposante *Rue de Paris, temps de pluie* par l'Art Institute de Chicago qui conduisit à son retour en grâce.

Caillebotte s'attaquait de façon frontale et sans fléchir à tout ce qu'il voyait dans la rue, dans son appartement, sur un fleuve ou dans un jardin, quelles que soient la complexité ou la nouveauté du sujet. Ses points de vue étaient souvent vertigineux, ses perspectives plongeantes, ses angles inhabituels et ses gros plans saisissants – la rencontre entre « les mondes d'Uccello et de Jacques Tati » pour reprendre les mots de Kirk Varnedoe (p. 202).

La fascination exercée par les œuvres de Caillebotte ne vient pas seulement de la nouveauté de leurs sujets mais aussi de leurs innovations iconographiques. Certaines de ses toiles comme *Raboteurs de parquet* de 1878 (Musée d'Orsay, Paris) ou *Les Peintres en bâtiment* de 1877 (collection particulière) ont dû paraître très audacieuses tandis que d'autres telles que *Jeune Homme à la fenêtre* de 1875 (collection particulière) ou *L'Homme au bain* de 1884 (Museum of Fine Arts, Boston) ont dû impressionner par leur grande ingéniosité. L'originalité de Caillebotte se reflétait également dans ses dessins. Il préparait en général ses compositions très méticuleusement par le biais de nombreuses études des figures principales (pp. 200 et 201), de la perspective et du contexte comme s'il concevait un décor de théâtre. De fait Caillebotte composait moins ses toiles qu'il ne les planifiait, tel un ingénieur.

Les dessins les plus achevés de Caillebotte peuvent parfois surprendre. La part de vide dans *Le Mur du jardin potager, Yerres* (p. 203) est déconcertante et la juxtaposition dans *Portrait de madame X* (p. 205) du modèle lui-même au premier plan et du portrait peint sur le chevalet derrière elle pose la question de la relation qui existe entre les deux, d'autant plus que la femme porte des vêtements d'extérieur alors qu'elle est assise à l'intérieur. La façon dont les deux figures sont cadrées est aussi inattendue tout comme le jeu entre la profondeur spatiale de la pièce et le peu de relief des deux surfaces picturales, réelle et représentée.

L'humour est parfois également présent. Le personnage de l'étude pour la toile *Au café* de 1880 (Musée des Beaux-Arts, Rouen) semble chercher à reprendre son équilibre après avoir peut-être trop bu (p. 204). Cette pose fait penser à cette observation d'Edmond Duranty dans *La Nouvelle Peinture* (1876) : « Des mains qu'on tient dans les poches pourront être éloquentes. Le crayon sera trempé dans le suc de la vie. »

Femme nue étendue sur un divan, 1873
Pastel, 87 × 113 cm. Signé.
IRIS ET GERALD CANTOR, NEW YORK

Gustave Caillebotte

Étude pour *Les Peintres en bâtiment*, 1877
Crayon et fusain, 48 × 308 cm. Signé.
COLLECTION PARTICULIÈRE

Étude pour *Rue de Paris, temps de pluie*, 1877
Crayon et fusain, 47 × 30,9 cm.
COLLECTION PARTICULIÈRE

Gustave Caillebotte

Le Nageur, 1877
Pastel, 75 × 95 cm. Signé et daté.
MUSÉE D'ORSAY, PARIS

Le Mur du jardin potager, Yerres, 1877
Pastel, 43,5 × 5,5 cm. Signé et daté.
COLLECTION PARTICULIÈRE

Gustave Caillebotte

Étude pour *Au café*, v. 1880
Craie noire, 44,7 × 31,7 cm. Signé.
YALE UNIVERSITY ART GALLERY, NEW HAVEN, CONNECTICUT

Portrait de madame X, 1878
Pastel, 63 × 50 cm. Signé et daté.
MUSÉE FABRE, MONTPELLIER

Jean-François Raffaëlli

1850–1924

Jean-François Raffaëlli participa aux cinquième (1880) et sixième (1881) expositions impressionnistes. Il eut à chaque fois l'insigne honneur d'exposer beaucoup plus d'œuvres que les autres artistes sélectionnés. Plusieurs critiques remirent cependant en cause l'idée même qu'il puisse être considéré comme un artiste impressionniste. Albert Wolff fut le plus véhément d'entre eux lorsqu'il écrivit : « Mais M. Raffaëlli n'est pas de cette école ; son art serré n'a rien à faire avec les pochades difformes de ces messieurs et de ces dames de l'impressionnisme. Que diable M. Raffaëlli est-il allé faire dans cette galère ? »

Même si les sujets abordés par Raffaëlli étaient indéniablement modernes, son style semblait quant à lui conservateur, son degré de finition et son attention au détail semblant plus en adéquation avec le Salon qu'avec un groupe d'avant-garde. Comme les autres impressionnistes, Raffaëlli avait rencontré un certain succès au Salon dans sa jeunesse mais c'était un peintre figuratif convaincant et puissant, ce qui attira Degas qui était l'un

Jean-François Raffaëlli
Autoportrait, 1893
Pointe sèche, 18,9 × 15,7 cm.
METROPOLITAN MUSEUM OF ART, NEW YORK

des principaux organisateurs des cinquième et sixième expositions. L'inclusion d'un tel artiste compensait peut-être le manque de direction claire chez les impressionnistes à la fin des années 1870 et au début des années 1880 ; son travail pouvait être qualifié de moderne tout en paraissant traditionnel. Cette ambigüité se révéla être sa force et son œuvre fut dans l'ensemble bien reçue. Wolff, qui n'était en général pas très charitable et qui avait prêté pour l'occasion deux œuvres de Raffaëlli, encouragea ses lecteurs à acheter des œuvres de l'artiste tant que sa côte était encore basse :

comme Millet il est le peintre de l'humble. Ce que le grand maître fit pour les champs, M. Raffaëlli le recommence pour les modestes de la vie parisienne ; il les montre tels qu'ils sont, le plus souvent hébétés par les misères de la vie !

Raffaëlli était un artiste compétent dans plusieurs domaines – peinture, dessin, pastel, sculpture, gravure et illustration. Il développa aussi des théories à propos de la pratique et de l'objectif de l'art qu'il publia sous forme d'essais, présenta lors de conférences et mit en œuvre dans ses travaux les plus aboutis de la fin des années 1870 et des années 1880. Il arguait que pour décrire la vie moderne les artistes devaient faire preuve d'une objectivité qu'ils ne pouvaient atteindre que par le biais d'une véritable analyse scientifique du milieu social qu'ils dépeignaient. Au cœur de sa réflexion se trouvait ce qu'il appelait le « caractère », le trait distinctif de l'homme, issu de l'interaction entre l'individu et les phénomènes naturels. Ce point de vue reflétait la philosophie positiviste alors en vogue et la nouvelle discipline que constituait la sociologie, adoptée parallèlement par des auteurs naturalistes tels que Zola, les frères Goncourt, Huysmans et Maupassant. Il est intéressant de constater que parmi les œuvres de Degas exposées lors de la sixième exposition impressionniste figuraient deux pastels intitulés *Physionomie de criminel*. L'apport de Raffaëlli à ce débat concerne la partie très spécifique de la société qu'il choisit de soumettre à un examen poussé et objectif.

Raffaëlli connut un début de jeunesse confortable mais quand son père, fabricant de teintures pour soie, fit faillite il dut accepter toutes sortes de postes (y compris réceptionniste chez un dentiste) tout en nourrissant peu à peu son intérêt pour l'art par le biais de visites aux musées du Louvre et du Luxembourg. Sans avoir jamais reçu de véritable formation artistique il vit une de ses peinture de paysage acceptée au Salon de 1870. Après avoir été mobilisé pendant la guerre franco-prussienne, il intégra en 1871 le cours de Jean-Louis Gérôme à l'École des Beaux-Arts mais ne s'y épanouit pas et quitta l'école trois mois plus tard. Encore incertain de la direction qu'il voulait prendre en tant que peintre et n'étant pas régulièrement sélectionné au Salon, il s'essaya brièvement à la peinture historique et à l'orientalisme. C'est avec sa toile *La Famille de Jean-le-Boiteux, paysans de Plougasnou* (Musée d'Orsay, Paris), créée lors d'un séjour en Bretagne en 1876 et exposée au Salon l'année suivante, qu'il inaugura une thématique qui allait lui inspirer ses meilleures œuvres et lui apporter un grand respect de la part de la critique et de ses collègues artistes en France et en Belgique.

L'intérêt de l'artiste pour les urbains pauvres et déclassés vivant en marge de la société coïncida avec sa décision de s'installer dans la banlieue nord-ouest de Paris. Pendant les années 1880 il peignit cette population à l'huile et au pastel et mit en pratique ses idées concernant la physionomie et ce qu'il appelait le « caractérisme ». N'ayant pas réussi à répliquer au Salon le succès rencontré avec ce genre d'œuvres lors des expositions impressionnistes du début des années 1880, il loua en 1884 des locaux avenue de l'Opéra pour monter sa propre exposition personnelle de 155 œuvres et rencontra un grand succès. Les œuvres étaient divisées en deux groupes : « Portraits-Types de Gens du Bas Peuple » et « Portraits-Types de Petits Bourgeois ». Ce fut un moment charnière dans la carrière de cet artiste indépendant qui put ainsi faire part de son point de vue sur l'art et la société. Il ne poursuivit cependant pas cette approche singulière au-delà des années 1880 et se réinstalla au centre de Paris pendant la décennie suivante. Jusqu'à la fin de sa vie, il se consacra à des sujets moins provocateurs qui plaisaient à un public plus large et lui assuraient des ventes – scènes de rues (p. 214) et de spectacles (p. 215) à Paris auxquelles s'ajoutaient des vues de la campagne et des ports français.

La ville de la banlieue nord-ouest dans laquelle Raffaëlli s'installa à la fin des années 1870 était Asnières, un lieu associé aux loisirs de weekend tels que la voile. Mais, de l'autre côté de la Seine, se trouvaient les villes beaucoup plus industrialisées de Clichy et de Levallois, peuplées d'usines et d'immeubles insalubres, entrecoupées de rails de chemins de fer et de poteaux télégraphiques. Ce type de paysage forma l'arrière-plan des toiles de Raffaëlli des années 1880 (p. 209). C'était, selon l'écrivain Octave Mirbeau en 1889, un monde « qui n'est plus la ville et qui n'est pas encore la campagne, où rien ne se finit, et où rien ne commence, où les hommes [sont] des épaves de misères sociales : petites vies bourgeoises, métiers mystérieux, rôdes nocturnes, écrasements prolétariens ». Les gens représentés par Raffaëlli dans ces panorama déprimants ont souvent, mais pas toujours, des occupations identifiables : forgerons (p. 210), chiffonniers, cantonniers (p. 211), vendeurs de légumes, rétameurs et vagabonds. D'autres, plus haut sur l'échelle sociale et vêtus de leurs habits noirs, boivent de la bière ou de l'absinthe dans des cafés sans âme (p. 212). Ce même monde sera exploré au XXe siècle par Samuel Beckett : les figures plaident leur cas devant la cour de l'humanité.

La composition des œuvres de Raffaëlli obéit toujours à un même principe. Ses figures monumentales sont placées en proéminence au premier plan ; elles se détachent sur un arrière-plan ouvert où l'on aperçoit souvent des cheminées d'usine fumantes. Le format est généralement vertical, parfois carré. Les toiles sont délicatement exécutées avec des tons clairs tandis que les pastels et les dessins se démarquent par leurs traits épais et leurs tons sombres. Dans tous les cas, comme les critiques contemporains eurent tôt fait de le constater, ses dessins étaient d'une grande qualité, en particulier en raison de son attention aux détails.

Bien que l'originalité de Raffaëlli en tant que « poète des banlieues parisiennes » soit reconnue, il s'inscrivait de fait dans une tradition, celle de la représentation des « types » généralement associés à la vie urbaine – un sujet que l'on retrouve chez beaucoup d'artistes des XVIIe et XVIIIe siècles. Leurs compilations de métiers, occupations, passe-temps et corvées domestiques étaient publiées sous forme de livres avec des titres tels que *Les Cris de Paris*. Les progrès des techniques d'imprimerie pendant le XIXe siècle encouragèrent la multiplication de ces livres. Citons l'ouvrage en neuf volumes *Les Français peints par eux-mêmes* (1839-1842), que beaucoup de peintres (François Bonvin, Théodule Ribot et Manet par exemple) connaissaient certainement. Raffaëlli lui-même contribua de fait à la pérennisation de cette tradition en illustrant *Les Types de Paris* en 1889 avec une préface de Wolff. Les critiques comparèrent Raffaëlli à des artistes du XVIIe siècle – Adriaen et Isaac van Ostade (selon Jules Claretie) ou les frères Le Nain (selon J. K. Huysmans) – mais la raison pour laquelle ses œuvres marquèrent tenait surtout au fait, comme Edmond Duranty l'affirma dans *La Nouvelle Peinture* (1876), qu'elles montraient « la note spéciale de l'individu moderne, dans son vêtement, au milieu de ses habitudes sociales, chez lui ou dans la rue » (p. 213).

Paysage avec route en vue de la ville, v. 1880-1885
Fusain, craie et lavis rehaussés de gouache sur papier gris bleuté monté sur carton, 8,3 × 15,8 cm. Signé.
METROPOLITAN MUSEUM OF ART, NEW YORK

Jean-François Raffaëlli

Les Forgerons buvant, v. 1885
Craies de couleur rehaussées d'huile sur carton marouflé sur bois, 77 × 57 cm. Signé.
MUSÉE DE LA CHARTREUSE, DOUAI

Cantonnier, Paris 4 k. 1., v. 1881
Aquarelle, pastel et crayon, 48,3 × 31,4 cm. Signé.
LANDESGALERIE, NIEDERSÄCHSISCHES LANDESMUSEUM, HANOVRE

Jean-François Raffaëlli

Bohèmes au café, v. 1885
Pastel sur papier marouflé sur toile, 55,5 × 44 cm. Signé.
MUSÉE DES BEAUX-ARTS, BORDEAUX

Devant la mairie, v. 1890
Craies de couleur avec gouache blanche, 42 × 56 cm. Signé.
COLLECTION PARTICULIÈRE

Jean-François Raffaëlli

Paris, la place Saint-Michel avec le quai des Grands-Augustins et le pont Saint-Michel, v. 1900
Fusain sur papier chamois et toile, 94,6 x 127,3 cm. Signé.
COLLECTION PARTICULIÈRE

Café-concert à La Scala, Paris, v. 1886
Fusain, encre, sanguine et gouache, 44,5 × 29,5 cm. Signé.
COLLECTION PARTICULIÈRE

Jean-Louis Forain

1852–1931

La carrière de Jean-Louis Forain est d'une limpidité surprenante pour un artiste qui a vécu si longtemps au centre du monde de l'art. Né à Reims, il a étudié un temps à l'École des Beaux-Arts à la fin des années 1860 sous la direction de Jean-Léon Gérôme puis il a intégré l'atelier du sculpteur Jean-Baptiste Carpeaux. Peu de temps après, il a commencé cependant à fréquenter les cercles de l'avant-garde et à se lier d'amitié avec Manet et Degas ainsi qu'avec les poètes Paul Verlaine et Arthur Rimbaud. Sensible au talent du jeune Forain dans le domaine de la peinture de figures, Degas l'invita à participer à quatre des expositions impressionnistes (celles de 1879, 1880, 1881 et 1886). Il représentait, tout comme Degas, des scènes de la vie contemporaine mais il avait une approche délibérément plus politique qui se fit à partir des années 1890 de plus en plus réactionnaire. Forain décida de ne pas modifier son style malgré les développement insufflés par les postimpressionnistes et continua de montrer son travail au Salon. Après le tournant du siècle, il s'intéressa pendant une longue période à des thèmes liés à la

Jean-Louis Forain
Autoportrait, 1912
Gravure, 13,9 × 10,3 cm (plaque). Signé.
NATIONAL GALLERY OF ART, WASHINGTON, DC

religion, à la justice et à la Première Guerre mondiale à laquelle il participa. Ses derniers travaux sont marqués par un antisémitisme virulent, un nationalisme exacerbé et un catholicisme ultraconservateur.

Cet artiste qui ne manquait pas d'humour créait des œuvres qui fascinaient le public car elles soulevaient des questions sans réponses possibles. La funambule de *L'Acrobate* datant d'environ 1880 (The Art Institute of Chicago) tomberait-t-elle au milieu de la foule ? Les deux figures de *Place de la Concorde* de 1884 (collection particulière), qui se situent aux antipodes de l'échelle sociale, allaient-elles en venir aux mains ? L'homme et son chien assis si dangereusement au bout d'une planche dans *Le Pêcheur* de 1884 (Southampton City Art Gallery) tomberaient-ils à l'eau ? De tels impondérables n'étaient pas seulement le fait d'astuces compositionnelles mais aussi du traitement complexe des figures et de la variété de leurs expressions faciales, en particulier dans les dessins de l'artiste.

Forain fut l'un des grands caricaturistes du XIXe siècle, à une époque où le genre était considéré comme une forme d'art à part entière et doté d'une signification sociale certaine. Le critique qui soutenait le plus cet art était Charles Baudelaire, qui publia deux articles sur le sujet dans les années 1850. Il aborda entre autres le cas d'Honoré Daumier qui pour lui était « l'un des hommes les plus importants [...] de l'art moderne [...] qui, tous les matins, divertit la population parisienne, qui, chaque jour, satisfait aux besoins de la gaieté publique et lui donne sa pâture ». Forain admirait Daumier et lui-même influença Toulouse-Lautrec dont il connaissait la famille.

Les impressionnistes étaient particulièrement intéressés par l'art de la caricature. Pissarro, par exemple, était aux anges après avoir trouvé à Rouen en 1884 un exemplaire d'*Histoire de la caricature moderne* (1865) de Champfleury (Jules François Félix Husson). Le traitement des figures dans les toiles des impressionnistes n'était pas étranger à cette manière exagérée et rapide de dessiner qui non seulement garantissait une représentation plus authentique de la vie mais permettait aussi d'analyser avec plus de perspicacité les manies et habitudes du genre humain. Baudelaire décrivit le talent nécessaire pour capturer de telles vérités comme « la logique du savant transportée dans un art léger, fugace, qui a contre lui la mobilité même de la vie ». Forain possédait sans conteste ce talent comme en témoignent ses toiles, dessins à l'encre, aquarelles et pastels.

La propagation de la caricature était en grande partie due à des progrès techniques qui avaient mené à l'augmentation impressionnante du nombre et du tirage des journaux, revues et publications éphémères. De nouvelles techniques de reproduction telles que la stéréoscopie, la photogravure et le gillotage, et des inventions comme la presse rotative pouvaient être utilisées pour imprimer des illustrations en couleurs en grand nombre ainsi que pour produire des affiches. Les réformes éducatives avaient augmenté en France le taux d'alphabétisme et l'intérêt pour les journaux quotidiens dont le lectorat se comptait en millions au tournant du siècle. Tout comme la presse comptait sur les scandales, les rumeurs et le sensationnalisme pour vendre, les lieux de loisirs populaires (cafés-concerts et salles de bal) de Montmartre et les institutions culturelles (théâtres, opéras, galeries et musées) publiaient leurs propres revues pour promouvoir spectacles et expositions. Les organisations politiques se mirent à publier une littérature militante afin d'attirer l'attention sur leurs combats et influencer le cours des événements.

De telles activités furent encouragées par l'allègement en juillet 1881 des lois de censure qui pesaient sur la presse depuis 1835. Cette prolifération de matériaux imprimés était soigneusement calculée pour plaire à différentes catégories de la société. Les injustices politiques et sociales causées par la IIIe République pouvaient enfin être dénoncées ouvertement et des artistes comme Forain qui avaient le talent nécessaire pour le faire étaient très demandés. Beaucoup de revues illustrées connurent des tirages limités et une existence éphémère mais elles procuraient pour de nombreux artistes d'avant-garde des opportunités professionnelles et financières inespérées. Forain contribua à un grand nombre de nouvelles publications – *Le Courrier français*, *L'Écho de Paris*, *Le Figaro illustré*, *La Plume*, *Le Rire*, *La Vie parisienne* et *Pss...t!*. Il fonda même avec Adolphe Willette sa propre revue, *Le Fifre*, et publia une série de dessins dans un livre intitulé *La Comédie parisienne* en 1892.

Forain avait beaucoup de facilité – et sans doute un plaisir considérable – à pointer l'hypocrisie sociale de la IIIe République. Comme Degas, il avait un humour caustique mais il l'exprimait plus via une approche anecdotique et narrative que par des prises de position à l'emporte-pièce. Il aimait dénoncer la corruption, la prétention et les conventions rétrogrades de la société bourgeoise mais s'intéressait aussi à des situations particulières. *Le Client* (p. 219), qui date de 1878 mais fut montré lors de la cinquième exposition impressionniste deux ans plus tard, aborde un sujet également traité par Degas et Toulouse-Lautrec, celui des maisons de passe. Les femmes sont alignées et attendent d'être inspectées par un client. Celui-ci est assis passivement à droite en habit noir tandis que les femmes à moitié nues paradent devant lui en jarretière et déshabillé. Forain a fait un usage généreux des rehauts blancs qui donnent aux déshabillés un aspect d'étincelles. La composition de l'ensemble fait satiriquement référence au Jugement de Paris et une des femmes porte même une croix au cou.

Une loge à l'opéra (p. 221) est une composition d'une forte verticalité. La pénombre de l'intérieur de la loge est contrebalancée par les rehauts éclatants des tenues de soirée. Forain crée un effet théâtral grâce à la manière dont il fait se pencher la femme pour discuter avec un des hommes debout. Dans *Dans les coulisses* (p. 220) il crée un contraste entre le blanc des tutus des danseuses et le noir des habits de soirée des hommes, une référence possible à la notion de bien et de mal. Les expressions mutines des jeunes danseuses diffèrent profondément de l'aspect inquiétant des hommes.

La Loge de l'actrice (p. 222) et *Après le bal : le noceur* (p. 223) sont tous les deux consacrés à ce qu'il se passe après le spectacle. L'actrice semble nous observer tandis que son habilleuse est engagée dans une conversation avec un admirateur ou peut-être un soupirant. La figure principale baigne dans une lumière éclatante pendant que ce qu'il se passe derrière elle est plongé dans la pénombre.

L'artiste était un ami proche du romancier et critique Joris-Karl Huysmans, qui fit le compte rendu de la sixième exposition impressionniste de 1881 où figurait *La Loge de l'actrice*. Dans son texte Huysmans affirme qu'aucun médium ne devrait être supérieur à un autre :

> *La vérité est qu'aujourd'hui chacune de ces façons de peindre correspond plus directement à l'une des différentes faces de l'existence contemporaine. L'aquarelle a une spontanéité, une fraîcheur, un piment d'éclat, inaccessibles à l'huile [...] le pastel a une fleur, un velouté, comme une liberté de délicatesse et une grâce mourante que ni l'aquarelle ni l'huile ne pourraient atteindre. Il s'agit donc simplement pour un peintre de choisir, entre ces différents procédés, celui qui paraitra le mieux s'adapter au sujet qu'il veut traiter.*

Le grand talent de Forain pastelliste transparaît dans *Femme en blanc avec un éventail* (p. 224) et *Femme respirant des fleurs* (p. 225) qui était exposé lors de la dernière exposition impressionniste de 1886. Le premier est dessiné de façon brusque et tendue tandis que le second est comme « le pollen des lis, la poussière des ailes de papillon » pour reprendre les mots du critique Paul Desjardins dans sa description de l'art du pastel.

Le Client, 1878
Crayon, aquarelle et gouache, 24,7 × 32,8 cm. Signé et daté.
DIXON GALLERY AND GARDENS, MEMPHIS, TENNESSEE

Jean-Louis Forain

Dans les coulisses, 1889
Encre et lavis, 45,7 × 31,4 cm. Signé.
BOSTON PUBLIC LIBRARY, MASSACHUSETTS

Une loge à l'opéra, v. 1880
Gouache et huile sur bois, 28,9 × 23,7 cm. Signé.
HARVARD ART MUSEUMS (FOGG MUSEUM), CAMBRIDGE, MASSACHUSETTS

Jean Louis Forain

La Loge de l'actrice, 1880
Aquarelle rehaussée de gouache, 28 × 23 cm. Signé et daté.
COLLECTION PARTICULIÈRE

Après le bal : le noceur, 1882
31,1 × 47 cm. Signé et daté.
DIXON GALLERY AND GARDENS, MEMPHIS, TENNESSEE

Jean-Louis Forain

Femme en blanc avec un éventail, 1883-1884
Pastel, 55,2 × 45,7 cm. Signé.
NORTON SIMON MUSEUM, PASADENA

Femme respirant des fleurs, 1883
Pastel, 88,9 × 78,7 cm. Signé.
DIXON GALLERY AND GARDENS, MEMPHIS, TENNESSEE

Vincent van Gogh

1853-1890

Vincent van Gogh a créé un nombre impressionnant de dessins, et ce pendant toutes les phases de sa carrière artistique qui fut courte, intense et dramatique. Il ne décida de devenir artiste qu'en 1880 à l'âge de 27 ans et mourut dix ans plus tard en laissant derrière lui une œuvre abondante ainsi qu'une correspondance volumineuse. La plupart de ses lettres sont adressées à son frère Théo qui était son cadet de quatre ans mais il écrivait aussi à d'autres membres de sa famille ainsi qu'à des collègues artistes. Le lien entre sa vie et son œuvre est étroit et grâce à ses lettres nous en savons plus sur les aspirations et difficultés personnelles mais aussi sur les procédés et questionnements techniques de Van Gogh que sur ceux de n'importe quel autre artiste.

Fils d'un pasteur de l'Église réformée de Hollande, Van Gogh naquit dans le Brabant, une province du sud des Pays-Bas. Il quitta l'école en 1869 sans avoir une véritable idée de la carrière qu'il voulait entreprendre et poursuivit plusieurs pistes. Il fut tout d'abord apprenti chez un marchand d'art jusqu'en 1875 puis passa un an à

Vincent van Gogh
Autoportrait au chapeau de feutre noir, 1886-1887
Huile sur toile, 41,5 × 32,5 cm.
VAN GOGH MUSEUM, AMSTERDAM

enseigner en Angleterre, à Ramsgate et Isleworth. À son retour sur le continent en 1877, il commença à travailler dans une librairie de Dordrecht avant de partir étudier la théologie à Amsterdam. Insatisfait, il décida d'acquérir une expérience pratique en devenant prêcheur et évangéliste laïc aux Pays-Bas et en Belgique. Il s'identifia tant aux populations urbaines et rurales pauvres parmi lesquelles il avait choisi de vivre dans le dénuement le plus total qu'il perdit toute confiance en la religion et chercha d'autres moyens de réparer les injustices du monde. Il finit par réaliser que la seule et unique façon d'atteindre ce but passait par l'art qu'il se mit à pratiquer avec le même fanatisme que celui avec lequel il avait pris fait et cause pour les déclassés. Cette exaltation est présente tout au long de la vie de l'artiste : elle lui permit de créer des œuvres magnifiques mais déclencha également en lui des crises profondes nécessitant souvent un traitement médical et le conduisit à s'automutiler puis à se suicider.

Van Gogh éprouva toujours beaucoup de difficultés à se conformer aux règles. Cela se manifestait extérieurement dans sa façon de s'habiller, dans ses manières et dans son attitude hiératique mais il ressentait aussi une grande tourmente et un sentiment d'infériorité qui le poussaient à se remettre en question en permanence. Son but n'était rien de moins que d'améliorer la condition humaine, une ambition grandiose et néanmoins sincère qu'il était outillé intellectuellement pour satisfaire. Il était doué pour les langues et très grand lecteur, ce qui l'aida à formuler ses idéaux sociaux et éthiques. En 1880 se posa le problème de savoir comment traduire ces idéaux sous forme visuelle puisqu'il avait après d'intenses réflexions décidé de faire de l'art son principal mode d'expression. Avant même de devenir artiste, il fréquentait beaucoup les musées et collectionnait les gravures avec passion. Une fois qu'il décida d'en faire son métier, il avait donc déjà une grande connaissance de l'art.

Comme on pouvait s'y attendre Van Gogh s'intéressa dans ses premières œuvres aux paysages et habitants de son pays d'origine. Il reçut des conseils de la part des artistes Anthon van Rappard et Anton Mauve et un membre de sa famille lui passa commande de dessins, mais il fut essentiellement autodidacte dans le domaine de la peinture et du dessin. Il consultait les manuels de Charles Bargue et Armand Cassagne, qui étaient de grands succès éditoriaux à l'époque, mais s'inspirait aussi d'illustrations publiées dans des revues telles que *The Graphic* et *The Illustrated London News* qu'il avait découvertes en Angleterre et collectionnait depuis. Ses progrès furent au début irréguliers mais rapides et soutenus. À partir du moment où il commença à dessiner, il semble qu'il ne s'arrêta jamais et sa production comprend non seulement des études mais aussi des « répétitions » pour des amis ainsi que des illustrations dans ses lettres écrites afin de tenir Théo et les autres au courant de ses progrès.

Comme ses toiles, ses dessins n'ont rien de timide. Pour ses paysages il couvrait presque toujours l'intégralité de la feuille et ses études de figures humaines sont généralement tracées avec vigueur. Son utilisation des médiums traditionnels était particulièrement sophistiquée et exigeante : préférence pour l'aquarelle opaque et non transparente, pour les craies naturelles et non manufacturées, pour des types de plume et de crayon rares et pour des procédés invasifs impliquant dilution, estompe et grattage. La liste des médiums utilisés dans ses dessins est souvent d'une grande complexité en partie parce qu'une importante proportion de ces dessins étaient destinés à la vente et faisaient l'objet de finitions soignées, même si ses attentes à cet égard n'étaient jamais satisfaites.

Route barrée de saules avec un balayeur (p. 230) est l'un des nombreux dessins révélant un amour pour les perspectives et la lumière changeante du paysage hollandais qui ne s'est jamais démenti même lorsque l'artiste travaillait dans le sud de la France. Van Gogh a représenté beaucoup de routes dans son œuvre et elles en sont venues à revêtir une signification symbolique, marquant le passage de l'homme à travers la vie. Mais il s'agit ici plus certainement d'un simple exercice de perspective, un véritable défi pour l'artiste qui se servait d'un dispositif de grille de son invention. Il était évidemment conscient lorsqu'il réalisa ce dessin de la riche tradition de la peinture de paysage hollandaise du XVIIe siècle mais la présence du personnage balayant la route traduit son intérêt pour le lien entre les humains et leur environnement naturel.

Le dessin de figures posait, il l'admettait, quelques problèmes à Van Gogh mais il reconnaissait son importance et déclara dès le départ qu'il le préférait au dessin de paysage. *La Couturière* (p. 231) comporte encore une certaine raideur dans le tracé et dans les traits du visage. Le profil est cependant impressionnant et le modelé puissant. Le modèle était une ancienne prostituée avec laquelle l'artiste vécut en 1882-1883 pour lui venir en aide ainsi qu'à son enfant.

Le Martin-Pêcheur (p. 232) et *Paysanne glanant* (p. 233) sont deux dessins représentatifs de l'évolution rapide du style de l'artiste. Dans le paysage, le dessin complexe à la plume et les rehauts blancs sont exécutés avec une grande maitrise mais le traitement de la lumière derrière l'église et de l'humidité qui s'élève de l'étang sont aussi remarquables. Van Gogh s'était inspiré pour ce dessin d'un poème de Jules Breton intitulé *Automne*. Breton était également un peintre de scènes rurales très populaire que Van Gogh admirait. *Paysanne glanant* fait partie d'une série d'études faites à Nuenen où ses parents vivaient et où son père allait mourir. Elles se démarquent par leur monumentalité. On dénote dans ce genre de dessin l'influence du peintre de l'École de Barbizon Jean-François Millet, mais la proximité de la figure vue en plongée et les divers types de hachure en font une œuvre très originale.

Van Gogh tenta par deux fois de suivre un enseignement artistique : tout d'abord à l'Académie des beaux-arts d'Anvers quelques mois en 1885 puis, l'année suivante, dans l'atelier de Fernand Cormon où il fit la connaissance de Toulouse-Lautrec, Émile Bernard, Louis Anquetin et John Russell (Introduction, fig. 7). Comme il ne connaissait auparavant que les peintures de l'École de La Haye, les impressionnistes et néo-impressionnistes furent pour lui une véritable révélation et source d'influence immédiate, de même que les gravures sur bois japonaises qu'il commençait à collectionner. Les dessins exécutés à Paris, généralement à Montmartre, reflètent par leur technique mixte et leur gamme de couleurs, cette évolution soudaine (p. 234).

Après deux ans à Paris, Van Gogh prit début 1888 la direction de la Provence et s'installa à Arles où le rejoignit quelques mois plus tard Gauguin. Son idée était de fonder une colonie d'artistes dans le Sud mais à cause de sa santé mentale fragile et de sa relation corrosive avec Gauguin il fut interné à l'hôpital psychiatrique de Saint-Paul-de-Mausole à Saint-Rémy en mai 1889. Il n'en reste pas moins qu'il exécuta parmi ses plus beaux dessins à Arles. L'échelle et l'assurance de ces œuvres signalent un sursaut d'énergie créative. L'encre est désormais préférée à l'aquarelle et les calames coupés sur mesure et les plumes d'oie aux pointes métalliques standard, à la craie ou au crayon. Si Van Gogh désirait rivaliser avec Rembrandt, c'est grâce à ces dessins qu'il y parvint.

Van Gogh accorde toujours autant d'attention à la composition dans *Vue d'Arles* (p. 235) mais il utilise une gamme de traits plus large, chacun étant gouverné par la pression de la main ou le flux de l'encre. C'est la diversité et la quantité de ces marques qui engendrent la sensation de mouvement qui va des champs à la ville au loin. Grâce à *Souvenir de Saintes-Maries, Méditerranée* (p. 236) Van Gogh réalise qu'il n'a plus besoin d'utiliser la perspective traditionnelle. En conséquence son style devient plus impulsif et énergique. *La Plaine de la Crau, vue de Montmajour* (p. 237) est remarquable par l'attention particulière donnée aux détails de ce paysage panoramique sans pour autant que la vision d'ensemble en pâtisse. Il se peut que le grand nombre de touches, traits, points et griffonnages traduise une peur du vide mais il représente aussi la chaleur et la couleur de la Provence. Le degré d'empathie est tel que non seulement nous voyons à travers les yeux de Van Gogh mais nous ressentons aussi ce qu'il ressent. L'activité humaine et la modernité ne sont pas absentes de ces œuvres mais elles sont subordonnées à la richesse et à la fécondité de la nature. La feuille respire pratiquement la vie comme si elle était envahie par une nuée d'insectes.

Les dessins au pinceau faits à l'asile de Saint-Rémy puis plus tard à Auvers-sur-Oise, où Van Gogh était sous la surveillance du compatissant docteur Gachet, sont plus audacieux. Ils s'apparentent aux toiles finales par leur rythme fluide mais ils sont aussi le résultat des efforts déterminés d'un artiste sous forte pression psychologique. Aucune échappée ne semble possible du *Couloir dans l'asile* (p. 238), dans lequel on entend comme l'écho des clameurs des patients.

Auvers-sur-Oise était un refuge à la fois émotionnel et artistique. Le village était aussi associé à Pissarro et Cézanne. Van Gogh réagit avec éloquence au paysage doux du rivage (p. 239) mais c'est aussi là qu'il mourut. Son frère Théo, qui s'était toujours préoccupé de son sort et l'avait soutenu financièrement et moralement, s'éteignit seulement trois mois plus tard. Ils sont enterrés côte à côte dans le cimetière du village.

Vincent van Gogh

Route barrée de saules avec un balayeur, octobre 1881
Dessin sous-jacent à l'encre brune, craie, crayon, pastel, aquarelle, 39,4 × 57,8 cm.
METROPOLITAN MUSEUM OF ART, NEW YORK

La Couturière, avril-mai 1882
Crayon, craie noire, encre noire à la plume et au pinceau, lavis gris rehaussés de gouache blanche, 53,2 × 37,6 cm. Signé.
MUSEUM BOIJMANS VAN BEUNINGEN, ROTTERDAM

Vincent van Gogh

Le Martin-Pêcheur, mars 1884
Encre à la plume et au pinceau et crayon rehaussés de blanc,
40,2 × 54,2 cm. Signé.
VAN GOGH MUSEUM, AMSTERDAM

Paysanne glanant, juillet-septembre 1885
Craie noire, 51,4 × 41,5 cm.
MUSEUM FOLKWANG, ESSEN

Vincent van Gogh

Vue depuis Montmartre, juin-septembre 1887
Aquarelle opaque, craie de couleur, encre, peinture à l'huile et crayon, 39,5 × 53,5 cm.
STEDELIJK MUSEUM, AMSTERDAM

Vue d'Arles, mai 1888
Calame et lavis sur crayon, 43,2 × 54,6 cm.
RHODE ISLAND SCHOOL OF DESIGN MUSEUM, PROVIDENCE

Vincent van Gogh

Souvenir de Saintes-Maries, Méditerranée : bateaux sur la plage, Saintes-Maries-de-la-Mer, v. 4 juin 1888
Calame et encre sur crayon, 39,5 × 53,3 cm. Titré et signé de la main de l'artiste.
COLLECTION PARTICULIÈRE

La Plaine de la Crau, vue de Montmajour, 6-12 juillet 1888
Calame, plume, encre sur craie noire et crayon,
48,7 × 60,7 cm. Signé.
BRITISH MUSEUM, LONDRES

Vincent van Gogh

Couloir dans l'asile, septembre 1889
Huile, craie noire sur papier rose, 65,1 × 49,1 cm.
METROPOLITAN MUSEUM OF ART, NEW YORK

Paysage d'Auvers-sur-Oise, fin mai-début juin 1890
Pinceau, aquarelle opaque et huile, encre, crayon sur papier rose, 47,3 × 62,9 cm.
TATE, LONDRES

Georges Seurat

1859–1891

Georges Seurat mourut prématurément à l'âge de 31 ans sans doute de la diphtérie mais pendant sa courte vie il créa et perfectionna de nouvelles façons de peindre et dessiner connues désormais sous le vocable de « néo-impressionnisme ». Ce mouvement avant-gardiste cherchait à faire évoluer l'impressionnisme vers un stade plus élaboré. Des œuvres de Seurat et Signac ont été montrées lors de la huitième exposition impressionniste de 1886 mais les principaux lieux d'exposition des néo-impressionnistes demeuraient la Société des Artistes Indépendants à Paris et Les Vingt à Bruxelles.

Par son style pictural – appelé pointillisme ou divisionnisme –, Seurat désirait lutter contre l'aspect aléatoire de l'impressionnisme, caractérisé par ses coups de pinceau improvisés et son choix de couleurs arbitraire. La jeune génération prônait une approche plus scientifique de la peinture et du dessin. C'est tout d'abord dans l'encyclopédie populaire de Charles Blanc, *Grammaire des arts du dessin* (1867), que Seurat puisa ses théories mais il s'inspira également des toutes dernières recherches en matière d'esthétique

Maximilien Luce
Georges Seurat, 1890
Crayon Conté sur papier, 29,6 × 22,5 cm.
COLLECTION PARTICULIÈRE

et d'harmonie des couleurs menées par Michel-Eugène Chevreul, Ogden Rood et Charles Henry. Seurat créa petit à petit un style qui s'attachait tout particulièrement à l'unité de la composition par le bais d'un maniement des matériaux plus contrôlé, d'une vision plus précise de la forme et d'une compréhension plus profonde de la couleur. Sur cette base, l'idée était de créer un ensemble, ce qui explique pourquoi son œuvre, bien que d'apparence avant-gardiste, soit fermement ancrée dans la tradition classique. Les inclinaisons philosophiques de l'artiste et sa façon disciplinée d'appliquer ses idées donnaient peut-être à son art une certaine froideur mais, comme ses dessins autant que ses peintures le montrent, son style révèle un intérêt passionné pour la vie contemporaine. Qualifier le style néo-impressionniste de Seurat de pointilliste ou de divisionniste est en réalité réducteur et finalement trompeur. Même si pendant une courte période il ne traça en effet que des points avec ses pinceaux, il y a de fait dans son travail une gamme d'applications beaucoup plus large qu'on ne le pense généralement, et ce pas seulement dans ses études à l'huile.

La même remarque pourrait être faite à propos de ses dessins qui sont fondamentalement de style tonal et d'aspect ténébriste. C'était un dessinateur prolifique et il était immensément fier de ses œuvres sur papier qu'il produisit en grande quantité à partir du début des années 1880 dans le but de les exposer ou de les vendre. Son médium de prédilection était le crayon Conté et on trouve en effet très peu de dessins dans un autre médium. Le crayon Conté est plus dur et gras que le fusain ou la craie et donc moins friable. Le choix du support était déterminant et Seurat avait élu un type de papier Ingres appelé Michallet, un papier vergé de couleur laiteuse de très grande qualité avec des stries prononcées et un filigrane souvent très apparent (p. 253). Les effets de tons étaient obtenus grâce à la pression appliquée par l'artiste sur la surface de la feuille pendant qu'il passait le crayon Conté qui ne se déposait que sur les stries en relief, les sillons restant eux intacts. L'interaction entre le médium et le papier était telle que les dessins paraissent presque tridimensionnels. Cette technique n'avait pas été découverte par Seurat, et un ou deux de ses contemporains avaient auparavant exposé des œuvres dans un style ténébriste mais c'est Seurat qui a élevé ce type de dessin à un niveau de sophistication inégalé. Il avait comme sources d'inspiration les gravures de Rembrandt et Goya ainsi que l'œuvre du peintre de Barbizon Jean-François Millet.

Seurat était né dans une famille bourgeoise aisée et ne connut jamais de problèmes financiers. Même s'il en vint à apprécier la compagnie de ses collègues artistes et écrivains, il était fondamentalement susceptible, distant et réservé. Très apprécié pour son professionnalisme et son dévouement pour l'art, il faisait également preuve de beaucoup d'anxiété dans sa quête de reconnaissance. Grand lecteur, il connaissait aussi bien l'œuvre naturaliste d'Émile Zola et des frères Goncourt que la poésie symboliste de Félix Fénéon, Paul Adam, Gustave Kahn et Émile Verhaeren, qui étaient ses amis et écrivaient aussi sur l'art. Il était si discret sur sa vie privée que ni ses parents ni semble-il ses amis ne connaissaient l'existence de sa maitresse, Madeleine Knobloch, avec qui il eut un fils.

L'artiste a reçu une formation très académique, tout d'abord dans une école municipale de dessin à Paris puis à l'École des Beaux-Arts (1878-1879) où il étudia sous la direction d'Henri Lehmann, ancien élève d'Ingres. Il se révéla un excellent copiste d'œuvres antiques (Introduction, fig. 6) et de travaux d'artistes tels que Raphaël, Holbein le Jeune, Nicolas Poussin et Ingres. Pendant son année de service militaire (1879-1880), il remplit ses carnets de croquis de détails de la vie quotidienne. *Femme sur un banc* (p. 244) date de cette époque et révèle le goût de Seurat pour les compositions finement construites avec ce personnage positionné avec soin devant les barres en bois du banc. Même si le contour de la figure est encore discernable, les zones hachurées donnent un aspect expérimental à l'ensemble, aplatissant la forme et la divisant en différents segments.

Seurat réalisa rapidement le potentiel des dessins de style tonal et commença au début des années 1880 à en réaliser un nombre considérable. Au moment de *Femme cousant* (p. 245), il s'était déjà dispensé de marquer les contours et ne jouait que sur les relations tonales. Les tons les plus clairs trahissent la silhouette du modèle qui se détache sur un fond plus foncé. Les rehauts sont en fait créés par les quelques zones de papier laissées vides. Le traitement du chapeau est typique du style de Seurat qui met ainsi l'accent sur la tête baissée de la femme sans visage, concentrée sur son activité. Le personnage représenté dans *Le Glaneur* (p. 246) est en revanche une forme sombre et imposante sur fond de ciel. Les marques plus espacées qui recouvrent le premier plan symbolisent l'activité même de la récolte. Un des grands talents de l'artiste consistait en effet dans ces premiers dessins à adapter son style à son sujet, ce qui était déterminant dans cette série de représentations de « types » urbains et ruraux.

Une sophistication similaire est à l'œuvre dans les paysages ruraux et urbains que Seurat commença à représenter dans ce même style tonal. *Place de la Concorde, hiver* (p. 247) est d'une grande mélancolie. La fontaine sombre à gauche et le fiacre qui s'éloigne vers la droite émergent de l'obscurité et forment un axe horizontal puissant. L'espace neigeux et vide est jalonné de lampadaires. C'est une image profondément dramatique et poétique. Mais ce n'est pas le centre de Paris qui intéressait le plus Seurat durant les années 1880 : il était fasciné par les banlieues qui surgissaient au nord-ouest de la capitale. Il fit beaucoup d'études à l'huile et de dessins en préparation de deux immenses toiles, *Une baignade à Asnières* de 1884 (National Gallery, Londres) et *Un dimanche après-midi à l'île de la Grande Jatte* de 1884-1886 (The Art Institute, Chicago), que l'on peut considérer comme des versions modernes d'allégories de Puvis de Chavannes. Dans ces toiles qui représentent des lieux à la fois résidentiels et en pleine industrialisation, Seurat explore les interactions entre différents groupes sociaux qui se détendent sur les rives de la Seine. *Garçon assis* (p. 248), une étude d'une des figures principales d'*Une baignade à Asnières*, est un nu alors que dans la toile finale le personnage portera un maillot de bain et un chapeau. Les gradations tonales sont à peine perceptibles alors que la lumière s'abat sur le corps. Même si nous ne voyons que le profil du garçon, nous pouvons deviner sa personnalité grâce à sa position légèrement avachie et son expression morne. *Paysage avec chien* (p. 249) est une étude préparatoire pour *Un dimanche après-midi à l'île de la Grande Jatte* dans laquelle Seurat s'intéresse au décor dans lequel apparaitront ses figures dont la présence est annoncée par le chien. Cette charmante scène de sous-bois à la Corot n'est perturbée que par l'activité sur l'eau à l'arrière-plan. Le calme règne avant l'invasion des visiteurs du dimanche.

Les dernières années de Seurat sont marquées par une plus grande diversité dans son œuvre. Dans *Parade de cirque* de 1887-1888 (Metropolitan Museum of Art, New York) et *Le Cirque* de 1891 (Musée d'Orsay, Paris), il s'intéresse à des thèmes fréquents dans l'art français du XIXe siècle alors que *Poseuses* de 1886-1888 (Barnes Foundation, Philadelphie) est une relecture de sa propre formation académique. *Tromboniste*, une des études pour *Parade de cirque* (p. 250), est une scène nocturne dans laquelle la figure imposante du musicien se détache devant une salle illuminée. Il cherche à attirer l'attention des passants et à leur donner envie de rentrer pour assister aux numéros de cirque qui vont bientôt commencer. L'horizontalité de la composition accentue la sensation de perspective et l'isolement du tromboniste. Seurat aimait se rendre au café-concert pour étudier les interactions entre différents groupes sociaux et observer les efforts déployés par les artistes pour retenir l'attention du public. L'humour n'est pas absent du dessin *Au Concert Européen* (p. 251) avec sa rangée de têtes au premier plan bloquant en partie la vue de la scène.

À partir de 1885 Seurat s'échappa de Paris chaque été pour se rendre sur les côtes de la Manche et peindre des marines. Ces vues de la mer et des ports représentent à bien des égards la quintessence du travail de l'artiste. Les compositions soigneusement élaborées, les légères gradations de couleurs et la modulation subtile de la lumière rapprochent ces œuvres du courant anglais de l'esthétisme tandis que le sujet participe du symbolisme. *Le Phare de Honfleur* (p. 252) possède un aspect céleste, accentué par le fait qu'en cette fin de XIXe siècle le motif du navire symbolisait souvent le passage de notre monde vers l'au-delà. De la même façon, dans *Anäis Faivre Haumonté sur son lit de mort* (p. 253), un dessin inhabituellement personnel pour Seurat montrant une parente proche de l'artiste entre la vie et la mort, l'artiste accentue les connotations religieuses de la scène grâce à la lueur tremblante des bougies sur l'autel de fortune installé près du lit.

Seurat est un artiste qui touche nos sensibilités modernes. L'aspect abstrait et symboliste de son œuvre ainsi que l'énergie qu'il consacra au processus créatif lui-même sont désormais considérés comme annonciateurs de l'art moderne. Les nombreux dessins qu'il laissa à sa mort furent avidement collectionnés par ses amis écrivains et artistes, notamment Pissarro, Signac, Bonnard, Matisse et Picasso.

Georges Seurat

Femme sur un banc, 1880-1881
Crayon, 16,5 × 10,4 cm.
SAINSBURY CENTRE FOR VISUAL ARTS, UEA, NORWICH

Femme cousant, 1882
Crayon Conté, 32,2 × 24,5 cm.
HARVARD ART MUSEUMS (FOGG MUSEUM), CAMBRIDGE, MASSACHUSETTS

Georges Seurat

Le Glaneur, v. 1883
Crayon Conté, 31,4 × 23,7 cm.
BRITISH MUSEUM, LONDRES

Place de la Concorde, hiver, v. 1882-1883
Crayon Conté, 23,2 × 30,7 cm.
SOLOMON R. GUGGENHEIM MUSEUM, NEW YORK

Georges Seurat

Garçon assis, étude pour *Une baignade à Asnières*, 1883
Crayon Conté, 31,7 × 24,7 cm.
NATIONAL GALLERY OF SCOTLAND, ÉDIMBOURG

Paysage avec chien, étude pour *Un dimanche après-midi à l'île de la Grande Jatte*, 1884
Crayon Conté, 42,5 × 62,8 cm.
BRITISH MUSEUM, LONDRES

Georges Seurat

Tromboniste, étude pour *Parade de cirque*, v. 1887
Crayon Conté rehaussé de craie blanche, 31,1 × 23,8 cm.
PHILADELPHIA MUSEUM OF ART

Au Concert Européen, v. 1887-1888
Crayon Conté et gouache, 31,1 × 23,8 cm.
MUSEUM OF MODERN ART, NEW YORK

Georges Seurat

Le Phare de Honfleur, 1886
Crayon Conté rehaussé de gouache, 24,1 × 30,8 cm.
METROPOLITAN MUSEUM OF ART, NEW YORK

Anaïs Faivre Haumonté sur son lit de mort, 1887
Crayon Conté rehaussé de craie blanche, 23 × 33 cm.
MUSÉE DU LOUVRE (COLLECTION MUSÉE D'ORSAY), PARIS

Paul Signac
1863–1935

Lors de la dernière exposition impressionniste de 1886 les divisions irrévocables qui existaient au sein de ce groupe avant-gardiste apparurent au grand jour. Lors des discussions préliminaires, les différences de style et de pratique culminèrent au point de détruire tout sens de l'unité. Le toujours conciliant Pissarro plaida avec succès en faveur de l'inclusion des jeunes Seurat et Signac qui avaient alors développé un style pointilliste connu sous le nom de néo-impressionnisme et dont il fut lui-même pendant un temps un des représentants. Il dut cependant accepter que ces œuvres soient exposées dans une salle différente, un espace dominé par le monumental *Un dimanche après-midi à l'île de la Grande Jatte* de Seurat. Signac exposa dix-huit œuvres dont la toile *Passage du Puits-Bertin, Clichy* (localisation actuelle inconnue). Un dessin représentant cette œuvre a été exécuté pour une illustration publiée dans le numéro de février 1997 de la revue *La Vie moderne* (p. 259). Il s'agit presque certainement de la première tentative de l'artiste d'utiliser l'encre au service du style divisionniste.

Maximilien Luce
Paul Signac, 1889
Crayon Conté sur papier, 19 × 15,9 cm. Signé et daté.
THE DYKE COLLECTION

Signac est né à Paris d'un père sellier et fabricant de harnais. « Ma famille voulait faire de moi un architecte, mais je préférais dessiner sur les bords de la Seine que dans un atelier de l'École des Beaux-Arts », déclara-il plus tard (p. 258). De fait, Signac était un autodidacte, principalement inspiré par les œuvres d'Armand Guillaumin et Monet. Il avait constitué sa propre collection d'art, qui était presque aussi importante que celles de Caillebotte ou Degas, de manière à pouvoir consulter ces œuvres à volonté.

Grâce à ses nombreux centres d'intérêt et à sa personnalité exubérante et sociable, Signac navigua avec aisance dans les cercles littéraires et artistiques et forma des amitiés qui durèrent toute sa vie. En mai 1884, il fit une rencontre déterminante, celle de Seurat, qui mena à la création de la Société des artistes indépendants. Cet organisme au sein duquel Signac tint toujours un rôle de première importance devint le point de ralliement des postimpressionnistes grâce à ses expositions annuelles qui eurent lieu jusqu'à assez tard dans le XXe siècle. La rencontre entre Signac et Seurat est également à l'origine de la création du style pointilliste, fondé sur l'étude poussée des théories scientifiques sur la couleur et la lumière. Seurat se considérait comme le fondateur de cette nouvelle pratique mais sa personnalité réservée et jalouse contrastait fortement avec l'attitude plus mondaine et fougueuse de Signac.

Lorsque Seurat mourut soudainement en 1891 à l'âge de 31 ans, Signac devint le porte-parole et chroniqueur en chef du néo-impressionnisme même si ce style avait déjà alors subi des évolutions à commencer par celles insufflées par les nabis et les fauves. Son livre *D'Eugène Delacroix au néo-impressionnisme* (1899, réédité en 1910 et 1921) se voulait une histoire officielle de ce mouvement même s'il s'agissait en fait avant tout d'un texte sur la couleur qu'il avait écrit pour compléter les écrits de grands critiques comme Félix Fénéon donc Signac était très proche.

La force de Signac en tant qu'artiste réside dans la grande variété de ses centres d'intérêt, à l'origine également de l'adoration et de l'admiration dont il fut l'objet à la fin du XIXe siècle et pendant le siècle suivant. Le portrait que Seurat fit de lui pour la couverture du numéro de mai 1890 de la revue *Les Hommes d'aujourd'hui* qui renfermait un article de Fénéon consacré à Signac, ne dit rien de Signac artiste. Avec son chapeau haut de forme, sa cape et sa cane, il symbolise sans conteste le bourgeois gentilhomme – une image surprenante pour un homme qui servit de lien entre les artistes français du milieu du XIXe siècle et les talents émergents du début du siècle suivant.

Signac était cependant une personnalité complexe. Il aimait pratiquer l'escrime mais sa plus grande passion, en dehors de la peinture, était la voile, comme en témoigne un vigoureux dessin ténébriste de ses débuts, probablement exécuté à Petit-Gennevilliers sur la Seine en face d'Argenteuil (p. 258). Signac possédait lui-même une trentaine de bateaux et il existe deux superbes toiles le représentant sur l'eau : *Signac sur son bateau* de 1896 par Théo van Rysselberghe (collection particulière) et *Signac et des amis sur son bateau* de 1924-1925 par Bonnard (Kunsthaus, Zurich). Il naviguait fréquemment au large des côtes françaises mais, en 1892, il se rendit à Bordeaux avec l'Olympia, son bateau baptisé en hommage à la toile de Manet, et emprunta la Garonne jusqu'à Toulouse où il suivit le canal du Midi en direction de Sète. Le voyage se termina par la découverte de Saint-Tropez qui était alors plus facilement accessible par la mer (p. 260). Signac fit de ce port sa deuxième maison après Paris, encourageant des artistes tels que Charles Camoin, Albert Marquet et Henri Matisse à s'intéresser à la multitude de motifs offerts par la lumière éclatante de la Côte d'Azur. Le lendemain de son arrivée il écrivit : « J'ai là de quoi travailler pendant toute mon existence – c'est le bonheur que je viens de découvrir. »

Lecteur compulsif et propriétaire d'un très grand nombre de livres, Signac était aussi bibliophile. Il portait un intérêt particulier aux écrits publiés et non publiés de Stendhal et admirait, comme d'autres néo-impressionnistes, l'œuvre de John Ruskin, en particulier *Éléments du dessin* (1856). Au comble de son enthousiasme pour l'aquarelle il écrivit une monographie de l'artiste hollandais Johan Barthold Jongkind (1927) – un artiste avec lequel plusieurs impressionnistes se sentaient une parenté.

Signac aimait aussi explorer les idées nouvelles. Comme plusieurs artistes avant-gardistes (Pissarro père et fils et Maximilien Luce) et écrivains (Fénéon et Émile Verhaeren), il adopta à partir de la fin des années 1880 les idéaux de philosophes anarchistes tels que Pierre-Joseph Prudhon, Pierre Kropotkine, Élisée Reclus et Jean Grave, l'éditeur de *La Révolte* et des *Temps nouveaux*. Un peintre anarchiste, écrivit-il, « sans souci de lucre, sans désir de récompense, luttera de toute son individualité contre les conventions bourgeoises et officielles par un apport personnel ». Le mouvement anarchiste était en France à son apogée dans les années 1890 mais il était autant question de lutter contre la détresse sociale et de créer une société plus juste et équitable que de défendre le droit des artistes à choisir le style le plus approprié pour exprimer leurs idéaux au public. Ils purent le faire lors d'expositions organisées par des groupes tels que la Société des artistes indépendants à Paris ou Les Vingt et le Salon de la libre esthétique à Bruxelles.

Les opinions politiques de Signac transparaissent sans ambigüité dans deux toiles : *Au temps d'harmonie* de 1893-1895 (Mairie de Montreuil) et *Le Démolisseur* de 1896 (Musée des Beaux-Arts, Nancy). Il fit une copie à l'encre de la première (p. 261, en haut) et une lithographie de la seconde a été publiée dans *Les Temps nouveaux*. L'artiste resta politisé tout au long de sa vie, publiant des articles, embrassant la cause pacifiste pendant la Première Guerre mondiale, s'élevant contre le fascisme et émettant des doutes face au communisme.

Signac parcourut la France mais il se rendit aussi à l'étranger, en particulier en Grande-Bretagne, aux Pays-Bas, en Belgique et en Italie. Grand admirateur de la tradition, il fit des copies dans d'innombrables musées et c'est en partie son étude des aquarelles de Turner qui l'encouragea à s'emparer davantage de ce médium. Les premiers dessins, faits du vivant de Seurat, étaient en noir et blanc (p. 258), mais il commença à préférer l'aquarelle aux dépends de l'huile sous l'influence de Pissarro et exigea que ses œuvres sur papier soient traitées au même niveau que ses toiles dans ses expositions. Signac aimait travailler en extérieur et à cet égard l'aquarelle était préférable à l'huile et correspondait à son tempérament en ébullition. Sur le plan stylistique, le processus très contrôlé du pointillisme lui ôtait toute spontanéité et donnait à ses compositions un aspect statique ou décoratif alors que l'aquarelle l'obligeait à travailler avec rapidité et précision.

Signac ne cherchait pas avec ses aquarelles à rejeter le néo-impressionnisme ; elles en constituaient plutôt un épilogue passionnant. Il commença, à la fin des années 1890, par utiliser le médium en conjonction avec l'encre d'une façon qui n'est pas sans rappeler Van Gogh (p. 261, en bas). Pour ses croquis préparatoires, il continua à utiliser l'encre mais l'appliqua au pinceau, ce qui donnait aux dessins un aspect lyrique qui était parfois absent de la toile finale (p. 262). Cette phase prit fin au début du XXe siècle quand il adopta un style plus libre, dominé par des touches irrégulières de couleur pure appliquées en une seule couche. Pour ses natures mortes en hommage à Cézanne, il combina le crayon et l'aquarelle. Là où Cézanne analyse les formes au point qu'elles semblent immanentes, comme figées éternellement, Signac leur confère un aspect palpitant et vibrant (p. 263).

Le grand chef-d'œuvre des dernières années de Signac fut sa série d'une centaine d'aquarelles dite des « Ports de France », exécutée entre 1929 et 1931 avec le soutien de Gaston Lévy, cofondateur de Monoprix et grand collectionneur. Un projet similaire avait vu le jour au XVIIIe siècle sous le pinceau de Joseph Vernet, mais pour Signac, qui représentait des ports depuis quelque temps déjà, c'était une façon d'égaler les grandes réalisations de Turner et Jongkind. La série des ports était une entreprise singulière dont on trouve des signes annonciateurs dans des dessins plus anciens (p. 262). La difficulté du médium et la tradition de représentation topographique dans laquelle il s'inscrivait convenaient à la nature itinérante de Signac. En tant que marin, il se délectait à capturer les qualités réflectives de l'eau ou les changements induits par le vent ou la lumière de même que ses talents d'escrimeur lui permettaient de manipuler ses pinceaux avec la plus grande vitesse et dextérité.

Paul Signac

Les Régates à Argenteuil, v. 1885-1886
Crayon Conté, 21,7 × 31,2 cm. Signé et daté.
MUSÉE DU LOUVRE (COLLECTION MUSÉE D'ORSAY), PARIS

Passage du Puits-Bertin, Clichy, 1886
Encre sur crayon sur papier monté sur carton,
24,5 × 36,6 cm. Signé.
METROPOLITAN MUSEUM OF ART, NEW YORK

Paul Signac

Saint-Tropez, la jetée vue du chantier naval, 1892
Crayon Conté, 23,5 × 30,2 cm.
COLLECTION TRITON FOUNDATION, PAYS-BAS

Au temps d'harmonie, 1895-1896
Crayon et encre sur crayon, 50 × 61,7 cm.
COLLECTION PARTICULIÈRE

La chapelle Sainte-Anne, Saint-Tropez, v. 1895
Aquarelle et encre, 21 × 28,5 cm. Signé.
ARKANSAS ARTS CENTER, LITTLE ROCK, ARKANSAS

Paul Signac

La Rochelle, 1912
Pinceau avec encre et lavis sur crayon et fusain,
70 × 100 cm. Signé.
METROPOLITAN MUSEUM OF ART, NEW YORK

Nature morte avec fruits, 1926
Aquarelle et crayon, 30,4 × 42,2 cm. Signé et daté.
ARKANSAS ARTS CENTER, LITTLE ROCK, ARKANSAS

Henri de Toulouse-Lautrec

1864-1901

Étudier la vie et l'œuvre d'Henri de Toulouse-Lautrec revient à examiner les deux faces d'une même pièce. Cet héritier d'une vieille famille aristocratique fut de plus en plus étroitement associé à la vie de bohème montmartroise. Après avoir commencé comme peintre de scènes sportives et d'animaux, il finit par devenir un témoin assidu de la décadence urbaine et de la dépravation humaine dans une ville qui était alors l'épicentre du monde de l'art. Ce changement drastique de sujet s'accompagna d'une évolution du style de l'artiste qui passa de l'académisme au naturalisme puis à l'avant-garde – il alla bien au-delà de l'impressionnisme pour adopter le symbolisme et l'Art nouveau tout en ouvrant la voie vers l'expressionnisme. Sa carrière est révélatrice des enjeux esthétiques qui étaient alors à l'œuvre en France dans les années 1880 et 1890.

Toulouse-Lautrec fut un grand innovateur dans la mesure où il ignora délibérément toute distinction entre art « noble » et « populaire ». Il ne le fit pas seulement dans le contexte de sa propre œuvre ou dans son usage inventif des matériaux et techniques

Charles Lucien Léandre
Henri de Toulouse-Lautrec, v. 1896-1897
Pencil, 47,3 × 31,4 cm.
THE JANE VOORHEES ZIMMERLI ART MUSEUM, RUTGERS, THE STATE UNIVERSITY OF NEW JERSEY

mais aussi en formant des partenariats avec des institutions privées et en découvrant de nouveaux débouchés pour son art. Cette innovation transparaît le plus dans son travail d'impression et en particulier dans les affiches qu'il commença à concevoir en 1891. L'innovation et la répercussion des affiches de Toulouse-Lautrec à la fin du XIXe siècle étaient telles que cette forme artistique vit son statut s'élever. Les affiches étaient considérées comme les « fresques du pauvre » et leur présentation assimilée au « salon de la rue » – descriptions aux fortes connotations politiques.

L'apparence et la personnalité de Toulouse-Lautrec eurent de grandes conséquences sur sa vie mais également sans doute sur son art. Suite certainement à une maladie osseuse, l'artiste avait une taille très inférieure à la moyenne – ses jambes étaient très courtes tandis que la partie supérieure de son corps était normale. Toulouse-Lautrec compensait ce handicap grâce au travail, l'humour, la comédie, une attitude excentrique et extravertie et une immersion totale à partir de la seconde moitié des années 1880 dans la société hétéroclite de Montmartre avec ses aristocrates, hommes politiques et hommes d'affaires qui se mêlaient aux artistes, amuseurs, prostituées et vendeuses dans une recherche effrénée de plaisir et d'évasion. Une des conséquences de la vie quelque peu dissolue que mena l'artiste fut la détérioration progressive de sa santé pendant les années 1890 et sa mort à l'âge de 36 ans. Mais ce fut un artiste extrêmement prolifique dont l'œuvre a sans doute bénéficié de l'aspect apparemment autodestructeur de sa personnalité.

L'artiste britannique William Rothenstein écrivit à propos de Toulouse-Lautrec que « la faiblesse humaine gisait nue et sans protection devant ses yeux ». Il est vrai que l'artiste a laissé derrière lui une évocation quasi exhaustive des salles de bal, cafés-concerts, maisons closes, bars, restaurants et cirques qui faisaient de Montmartre un quartier d'une grande vitalité dans le Paris de cette fin de siècle.

Comme d'autres artistes, Toulouse-Lautrec fit des peintures à l'huile et des dessins sur papier mais une grande proportion de sa production était hybride. À partir de la fin des années 1880 il adopta en effet une technique de peinture à l'essence (peinture à l'huile diluée avec de la térébenthine) qu'il utilisait souvent sur du carton (p. 271). Ce médium était facile à appliquer, séchait rapidement et donnait un fini mat. Il poussa Toulouse-Lautrec à développer un style plus linéaire, reposant principalement sur de multiples striures ou hachures pour créer le modelé. Les degrés de finition étant extrêmement variés, la frontière entre œuvre finale et préparatoire n'est pas toujours nette. Ajoutons que quel que soit le support – toile ou carton –, l'artiste donnait au dessin sous-jacent, souvent renforcé ou réintroduit plus tard dans le processus, la même importance que les traits au pinceau afin que le dessin et la peinture fusionnent parfaitement. La palette de Toulouse-Lautrec était qui plus est généralement plutôt sourde ou pale, ce qui faisait que l'accent semblait autant mis sur la ligne que sur la couleur.

Toulouse-Lautrec a été initié à la peinture par un ami de sa famille, un artiste sourd et malentendant du nom de René Princeteau qui s'était spécialisé dans les sujets sportifs. Sa pratique du dessin s'intensifia grâce aux longues périodes de convalescence qu'il connut dans sa jeunesse. Elle annonçait sa prédilection pour l'illustration ainsi que le développement du style caricatural qui sous-tendra toute son œuvre. Quand sa famille accepta enfin son désir d'être artiste à plein temps, Toulouse-Lautrec s'installa à Paris dans l'espoir de réussir l'examen d'entrée à l'École des Beaux-Arts. Dans ce but, il suivit des cours dans l'atelier de Léon Bonnat puis dans celui de Fernand Cormon qui prenait certaines libertés avec le système académique. Les poses des modèles pour les dessins sur le vif étaient en particulier moins traditionnelles (Introduction, fig. 8). Une étude préparatoire (p. 268) pour un portrait de son ami peintre Gustave-Lucien Dennery montre que Toulouse-Lautrec s'intéressait aux poses informelles dans un cadre conventionnel. La partie supérieure du corps est exécutée de façon adroite bien que manquant de réalisme ; l'artiste fait un usage intelligent de l'estompe dans les zones ombrées mais l'hésitation est plus que palpable dans le traitement des jambes dont les contours ont été manifestement repris plusieurs fois.

Finalement Toulouse-Lautrec n'intégra pas l'École des Beaux-Arts mais rencontra dans l'atelier de Cormon quelques jeunes artistes qui appréciaient comme lui le climat progressiste de l'endroit : Van Gogh, Émile Bernard et Louis Anquetin. Son portrait de Van Gogh (p. 270) au pastel révèle l'esprit d'indépendance de Toulouse-Lautrec. Le médium est appliqué avec beaucoup de vivacité et la feuille est entièrement recouverte de toutes sortes de traits vifs. La tension qui habite le modèle transparaît dans sa position et dans l'emploi de couleurs complémentaires.

Toulouse-Lautrec commença à vivre de son art grâce aux illustrations que lui commandaient les revues quand il fréquentait encore l'atelier de Cormon. Les dessins publiés à partir du milieu des années 1880 dans *Le Courrier français* et *Le Mirliton* non seulement lui firent connaître Montmartre mais ils l'encouragèrent aussi à observer la scène locale et à analyser et classifier les gens selon leur type. Dans l'étude pour *Blanchisseuse traversant une rue* (p. 269) – l'une des quatre illustrations accompagnant un article d'Émile Michelet intitulé « L'Été à Paris » dans le numéro de juillet 1888 de *Paris illustré* –, l'illusion du mouvement et le positionnement du corps sont rendus avec conviction tandis que l'utilisation variée du fusain, en particulier sur la jupe, révèle une assurance grandissante. Les blanchisseuses, que l'on voyait souvent dans la rue porter leur lourd panier étaient considérées comme des cibles de choix pour les prédateurs sexuels de la bourgeoisie.

L'affiche *Moulin Rouge - La Goulue* de 1891, qui fut la première lithographie de Toulouse-Lautrec, rencontra un succès immédiat. Aucun affichiste – même Jules Chéret – n'avait jusque-là réussi à obtenir un tel effet visuel. L'esquisse préparatoire pour cette affiche (p. 272) possède déjà les principales caractéristiques du style de l'artiste dans ce domaine : une composition audacieuse, une perspective surprenante, un texte clair, l'accent mis sur les principaux protagonistes, une allusion au genre de divertissement proposé et une évocation de l'atmosphère du lieu. Les estampes japonaises ainsi que les théâtres d'ombres que l'on pouvait admirer au café-concert étaient deux des sources d'inspiration de Toulouse-Lautrec, mais il était par-dessus tout attaché à l'idée de représenter ses modèles par le biais de leurs traits les plus reconnaissables. La Goulue était célèbre pour ses numéros de French Cancan lors desquels, grâce à ses jambes virevoltantes, elle faisait valser les chapeaux des hommes du public. Valentin le Désossé, qui apparaît au premier plan, était quant à lui contorsionniste comme son nom de scène et sa pose le suggèrent. Les artistes de music-hall les plus populaires devinrent des célébrités grâce à la représentation percutante qu'en fit Toulouse-Lautrec. La chanteuse Yvette Guilbert fit par exemple l'objet d'un album de seize lithographies publié en 1894. Cette femme grande et mince était célèbre pour sa robe de satin verte et ses gants noirs (p. 273).

L'artiste se lia également d'amitié avec des prostituées de Montmartre. Il les représenta dans des scènes très intimistes : on les voit attendre leurs clients, être examinées par des médecins, s'habiller (p. 274) ou se déshabiller et partager entre elles des moments d'affection. Contrairement à Degas, Toulouse-Lautrec traite ses personnages en tant qu'individus et réussit à faire preuve à la fois d'objectivité et de subjectivité en utilisant le gros plan tout en maintenant une certaine distance. Ses plus belles scènes de maisons closes sont les onze lithographies qu'il a réunies dans l'album *Elles* de 1896 et pour lesquelles il a exécuté des études à la sanguine (p. 275).

Le cirque, en particulier le Cirque Fernando, était une autre attraction qui intéressait Toulouse-Lautrec. Quand en 1899 sa santé se détériora en raison de son alcoolisme, l'artiste fut admis dans une clinique de Neuilly en banlieue parisienne. Comme il voulait en sortir le plus vite possible il décida prouver sa bonne santé mentale en produisant une série de scènes de cirque (p. 276). Celles-ci sont dessinées avec adresse et très certainement de mémoire. Elles possèdent une délicatesse fantasque mais, de par leurs changements soudains d'échelle, leurs formes sinueuses et leurs ombres portées puissantes, elles ont aussi un aspect hallucinatoire. Les artistes doivent être en train de répéter leurs numéros puisque les sièges sont vides, ce qui reflète peut-être l'état d'esprit de Toulouse-Lautrec à qui la convivialité montmartroise manquait lors de son hospitalisation.

Ayant recommencé à boire, Toulouse-Lautrec passa la plus grande partie de la dernière année de sa vie à Bordeaux où il fréquenta beaucoup l'opéra. Au Théâtre-Français, il vit une reprise de l'opérette de Jacques Offenbach *La Belle Hélène*, qui avait été jouée pour la première fois à Paris l'année de sa naissance. Cette parodie de la guerre de Troie correspondait à son sens de l'humour tout comme l'interprétation de Mathilde Cocyle qui avait transformé Hélène en une sorte de matrone (p. 277). Adepte de la légèreté jusqu'à son dernier souffle, Toulouse-Lautrec utilise l'élégance du tracé pour représenter cette femme inondée de lumière, accentuant sa haute coiffure, son ample poitrine et son costume décolleté. Mais c'est sa gestuelle qui marque le plus : avec ses bras levés comme les ailes d'un papillon, on ne sait si elle salue ou fait ses adieux.

Henri de Toulouse-Lautrec

Portrait de Gustave-Lucien Dennery, 1883
Fusain, 61,6 × 47 cm. Signé.
PHILADELPHIA MUSEUM OF ART

Étude pour *Blanchisseuse traversant une rue*, 1888
Fusain, 65 × 50 cm. Cachet de l'artiste.
MUSÉE TOULOUSE-LAUTREC, ALBI

Henri de Toulouse-Lautrec

Vincent van Gogh, 1887
Craies de couleur sur carton, 57 × 46 cm.
VAN GOGH MUSEUM, AMSTERDAM

Monsieur Boileau au café, v. 1893
Huile et térébenthine sur carton, 80 × 65 cm. Signé.
CLEVELAND MUSEUM OF ART

Henri de Toulouse-Lautrec

Étude pour *Moulin Rouge - La Goulue*, 1891
Fusain, pastel, lavis et huile sur papier (taché) marouflé sur toile, 154 × 118 cm.
MUSÉE TOULOUSE-LAUTREC, ALBI

Yvette Guilbert saluant le public, 1894
Crayon gras, aquarelle et huile sur papier calque monté sur carton, 41,7 × 24,5 cm. Signé.
RHODE ISLAND SCHOOL OF DESIGN MUSEUM, PROVIDENCE

Henri de Toulouse-Lautrec

Étude pour *Femme tirant son bas*, v. 1894
Huile sur carton, 80 × 60 cm.
MUSÉE TOULOUSE-LAUTREC, ALBI

Étude pour *Le Sommeil*, 1896
Sanguine sur papier calque, 20,3 × 26,6 cm.
MUSEUM BOIJMANS VAN BEUNINGEN, ROTTERDAM

Henri de Toulouse-Lautrec

Au cirque – Cheval pointant, 1899
Craie noire et crayons de couleur, 35,7 × 25 cm. Cachet de l'artiste.
THE FINE ARTS MUSEUMS, SAN FRANCISCO

Mademoiselle Cocyle en Hélène de Troie dans La Belle Hélène, 1900
Crayon, crayon gras noir et sanguine rehaussés de craie blanche,
35,1 × 25,4 cm. Signé.
THE ART INSTITUTE OF CHICAGO

Bibliographie

Les ouvrages consacrés aux dessins des impressionnistes et postimpressionnistes sont très rares. Les catalogues raisonnés, monographies et catalogues d'exposition incluent souvent des dessins mais sans que le rôle que ceux-ci ont joué dans l'œuvre de l'artiste ne soit réellement abordé. La sélection de titres ci-dessous ne comprend en conséquence que des publications relatives au sujet principal de cet ouvrage et plus précisément ceux qui ont été d'une grande aide pour l'auteur.

Ouvrages généraux

Adler, Kathleen, *Unknown Impressionists*, Oxford, 1988

Aymonino, Adriano et Anne Varick Lauder (éds), *Drawn from the Antique: Artists and the Classical Ideal*, cat. d'expo., Teylers Museum, Haarlem, et Sir John Soane's Museum, Londres, 2015

Berson, Ruth (éd.), *The New Painting. Impressionism 1874–1886. Documentation*, 2 vols, Fine Arts Museum of San Francisco, 1996

Burns, Thea et Philippe Saunier, *The Art of the Pastel*, New York et Londres, 2015

DeWitte, Debra J., « Drawings on View in State-funded Venues and Artists' Societies in Paris, 1860–90 », *Master Drawings*, 55:2 (2017), pp. 225–248

Dunn, Ashely E., *Delacroix Drawings: The Karen B. Cohen Collection*, cat. d'expo., Metropolitan Museum of Art, New York, 2018

Ekelhart, Christine et Christopher Lloyd, *Impressionism: Pastels Watercolors Drawings*, cat. d'expo., Milwaukee Art Museum et Albertina, Vienne ; Milwaukee, 2011, et Vienne et Cologne, 2012

The Essence of Line: French Drawings from Ingres to Degas, cat. d'expo., Baltimore Museum of Art, Walters Art Museum, Baltimore, Birmingham Museum of Art et Tacoma Art Museum, 2005

Hendrix, Lee (éd.), *Noir: The Romance of Black in 19th-Century French Drawings and Prints*, cat. d'expo., The J. Paul Getty Museum, Los Angeles, 2016

Herbert, Robert L., *Impressionism: Art, Leisure, and Parisian Society*, New Haven et Londres, 1988

Lloyd, Christopher et Richard Thomson, *Impressionist Drawings from British Public and Private Collections*, cat. d'expo., Ashmolean Museum, Oxford, Manchester City Art Gallery, Burrell Collection, Glasgow ; Oxford, 1986

Petherbridge, Deanna, *The Primacy of Drawing: Histories and Theories of Practice*, New Haven et Londres, 2010

Pfeiffer, Ingrid et Max Hollein (éds), *Women Impressionists*, cat. d'expo., Schirn Kunsthalle Frankfurt et Fine Arts Museums of San Francisco, 2008

Shapiro, Barbara Stern (éd.), *Pleasures of Paris: Daumier to Picasso*, cat. d'expo., Museum of Fine Arts, Boston, et IBM Gallery of Science and Art, New York, 1991

Tonkovich, Jennifer (éd.), *Drawn to Greatness: Master Drawings from the Thaw Collection*, cat. d'expo., The Morgan Library and Museum, New York, et Sterling and Francine Clark Art Institute, Williamstown, 2017

Wadley, Nicholas, *Impressionist and Post-Impressionist Drawing*, Londres, 1991

Ward, Martha, « Impressionist Installations and Private Exhibitions », *Art Bulletin*, 73 (1991), pp. 599–622

Weisberg, Gabriel P. (éd.), *The Realist Tradition: French Painting and Drawing 1830–1900*, Cleveland Museum of Art, Brooklyn Museum, New York, St Louis Art Museum, Glasgow Art Gallery et Museum Kelvingrove, 1980

Eugène Boudin

Gottlieb, Carla, « Boudin's Drawings », *Master Drawings*, 6:4 (1968), pp. 395–404

Hamilton, Vivien, *Boudin at Trouville*, cat. d'expo., Burrell Collection, Glasgow, et Courtauld Institute Galleries, Londres, 1992

Manoeuvre, Laurent, *Eugène Boudin : Dessins*, Paris, 2001

Rapetti, Rodolphe, *Eugène Boudin : Dessins Inédits*, cat. d'expo., *Les Dossiers du Musée d'Orsay* 14, Paris, 1987

Camille Pissarro

Brettell, Richard et Christopher Lloyd, *A Catalogue of Drawings by Camille Pissarro in the Ashmolean Museum, Oxford*, Oxford, 1980

Thomson, Richard, « Drawings by Camille Pissarro in Manchester Public Collections », *Master Drawings*, 18:3 (1980), pp. 257–263

Édouard Manet

Leiris, Alain de, *The Drawings of Édouard Manet*, Berkeley et Los Angeles, 1969

Edgar Degas

Boggs, Jean Sutherland et Anne Maheux, *Degas Pastels*, Londres et New York, 1992

Kendall, Richard, *Degas: Beyond Impressionism*, cat. d'expo., National Gallery, Londres, et The Art Institute of Chicago, 1996–1997

Lloyd, Christopher, *Edgar Degas: Drawings and Pastels*, Londres, 2014

Reff, Theodore, *The Notebooks of Edgar Degas: A Catalogue of the Thirty-Eight Notebooks in the Bibliothèque Nationale and Other Collections*, 2 vols, Oxford, 1976

Paul Cézanne

Chappuis, Adrien, *The Drawings of Paul Cézanne*, 2 vols, Londres et Greenwich, Connecticut, 1973 [à lire en conjunction avec l'article de Karsten Schubert, « Cézanne, Chappuis and the limits of connoisseurship », *Burlington Magazine*, 148 (2006), pp. 612–620]

Haldemann, Anita (éd.), *The Hidden Cézanne: From Sketchbook to Canvas*, cat. d'expo., Kunstmuseum Basel; Munich, Londres, New York, 2017

Lloyd, Christopher, *Paul Cézanne: Drawings and Watercolours*, Londres, 2015

Rewald, John, *Paul Cézanne: The Watercolours. A Catalogue Raisonné*, Londres et Boston, 1983

Simms, Matthew, *Cézanne's Watercolours: Between Drawing and Painting*, New Haven et Londres, 2008

Alfred Sisley

Shone, Richard, *Sisley*, Londres, 1992

Odilon Redon

Druick, Douglas W. (éd.), *Odilon Redon: Prince of Dreams 1840–1916*, cat. d'expo., The Art Institute of Chicago, Van Gogh Museum, Amsterdam, et Royal Academy of Arts, Londres, 1994

Claude Monet

Ganz, James A. et Richard Kendall, *The Unknown Monet: Pastels and Drawings*, cat. d'expo., Sterling and Francine Clark Art Institute, Williamstown, et Royal Academy of Arts, Londres, 2007

Berthe Morisot

Adler, Kathleen et Tamar Garb, *Berthe Morisot*, Oxford et Ithaca, New York, 1987

Berthe Morisot 1841–1895, cat. d'expo., Palais des Beaux-Arts, Lille, et Fondation Pierre Gianadda, Martigny; Paris, 2002

Stuckey, Charles F. et William P. Scott (éds), *Berthe Morisot, Impressionist*, cat. d'expo., National Gallery of Art, Washington, Kimbell Art Museum, Fort Worth, et Mount Holyoke College Art Museum; New York, 1987

Pierre Auguste Renoir

House, John, « Renoir's "Baigneuses" of 1887 and the politics of escapism », *Burlington Magazine*, 134 (1992), pp. 578–585

Rewald, John, *Renoir: Drawings*, New York, 1946

Riopelle, Christophe, « Renoir: The Great Bathers », *Bulletin Philadelphia Museum of Art*, 86:367–368 (1990)

Federico Zandomeneghi

Piceni, Enrico, *Zandomeneghi*, Milan, 1967

Mary Cassatt

Barter, Judith A. (éd.), *Mary Cassatt: Modern Woman*, cat. d'expo., The Art Institute of Chicago, Museum of Fine Arts, Boston, et National Gallery of Art, Washington; New York, 1998

Paul Gauguin

Brettel, Richard, Françoise Cachin, Claire Frèches-Thory et Charles F. Stuckey, *The Art of Paul Gauguin*, cat. d'expo., National Gallery of Art, Washington, The Art Institute of Chicago, Grand Palais, Paris, 1988

Ives, Colta et Susan Alyson Stein (éds), *The Lure of the Exotic: Gauguin in New York Collections*, cat. d'expo., Metropolitan Museum of Art, New York; New Haven et Londres, 2002

Pickvance, Ronald, *The Drawings of Gauguin*, Londres et New York, 1970

Gustave Caillebotte

Chardeau, Jean, *Les Dessins de Caillebotte*, Paris, 1989

Lloyd, Christopher, « An Unknown Sketchbook by Gustave Caillebotte », *Master Drawings*, 26:2 (1988), pp. 107–117

Varnedoe, Kirk, *Gustave Caillebotte*, New Haven et Londres, 1987

Jean François Raffaëlli

Weisberg, Gabriel P. (éd.), *The Realist Tradition; French Painting and Drawing 1830–1900*, Cleveland Museum of Art, Brooklyn Museum, New York, St Louis Art Museum, Glasgow Art Gallery et Museum Kelvingrove, 1980, pp. 229–230

Jean Louis Forain

Browse, Lillian, *Forain: The Painter 1852–1931*, Londres, 1978

Jean-Louis Forain, Artist, Realist, Humanist, cat. d'expo., International Exhibitions Foundation, Washington, DC, 1982–1983

Jean-Louis Forain (1852–1931) : « La Comédie Parisienne », cat. d'expo., Musée des Beaux-Arts de la Ville de Paris (Petit Palais) et Dixon Gallery and Gardens, Memphis, 2011

Vincent van Gogh

Cachin, Françoise et Bogomila Welsh-Ovcharov, *Van Gogh à Paris*, cat. d'expo., Musée d'Orsay, Paris, 1988

Dumas, Ann, Leo Jansen, Hans Luijten et Nienke Bakker, *The Real Van Gogh: The Artist and His Letters*, cat. d'expo., Royal Academy of Arts, Londres, 2010

Ives, Colta, Susan Alyson Stein, Sjraar van Heugten et Marije Vellekoop, *Vincent Van Gogh: The Drawings*, cat. d'expo., Van Gogh Museum, Amsterdam, et Metropolitan Museum of Art, New York, 2005

Georges Seurat

Broude, Norma, « The Influence of Rembrandt Reproductions on Seurat's Drawing Style: A Methodological Note », *Gazette des Beaux-Arts*, série 6, 88 (1976), pp. 155–160

Cachin, Françoise, Robert Herbert, Anne Distel et Gary Tinterow, *Seurat*, cat. d'expo., Grand Palais, Paris et Metropolitan Museum of Art, New York, 1991

Hauptman, Jodi (éd.), *Georges Seurat: The Drawings*, cat. d'expo., Museum of Modern Art, New York, 2007

Herbert, Robert L., *Seurat's Drawings*, Londres et New York, 1962

Thomson, Richard, *Seurat*, Oxford, 1985

Paul Signac

Ferretti-Bocquillon, Marina, Anne Distel, John Leighton et Susan Alyson Stein, *Signac, 1863–1935*, cat. d'expo., Galeries Nationales du Grand Palais, Paris, Van Gogh Museum, Amsterdam, et Metropolitan Museum of Art, New York, 2001

Henri de Toulouse Lautrec

Frèches-Thory, Claire, Anne Roquebert et Richard Thomson, *Toulouse-Lautrec*, cat. d'expo., Hayward Gallery, Londres, et Grand Palais, Paris, 1991

Murray, Gale B., *Toulouse-Lautrec: The Formative Years, 1878–1891*, Oxford, 1991

Thomson, Richard, Philip Dennis Cate et Mary Weaver Chapin, *Toulouse-Lautrec and Montmartre*, cat. d'expo., National Gallery of Art, Washington, et The Art Institute of Chicago, 2005

Crédits photographiques

akg-images **107**, **200** ; Albertina, Vienne **158** ; Albi, Musée Toulouse-Lautrec, inv. 2578-D 33 **17**, **269** ; Amsterdam, Stedelijk Museum **234** ; Amsterdam, Van Gogh Museum **16d**, **190**, **232**, **270** ; Arkansas, The Dyke Collection **254** ; Baltimore Museum of Art **23g** ; Bâle, Kuntsmuseum **19g** , Kupferstichkabinett **90** ; Berlin, Kupferstichkabinett, Staatliche Museen zu Berlin **13** ; Boston, Museum of Fine Arts **29** ; Boston Public Library, Albert H. Wiggin Collection **220** ; Brême, Kunsthalle **84** ; Bridgeman Images **46**, **108**, **109h**, **124**, **150**, **272**, **274** ; Bristol Museum & Art Gallery **157** ; Brooklyn Museum **182** ; Budapest, Musée des beaux-arts **65**, **65**, **66b**, **123** ; Cambridge, Fitzwilliam Museum Frontispiece (University of Cambridge, Bridgeman Images), **18g**, **28g** (University of Cambridge, Bridgeman Images) ; Cambridge, King's College, Keynes Collection **85** ; Cambridge, MA, Harvard Art Museums/ Fogg Museum **21** (Bequest of Meta and Paul J. Sachs, 1965.294. Photo Imaging Department President and Fellows of Harvard College), **79** (Bequest of Meta and Paul J. Sachs, 1965.263 Photo Imaging Department President and Fellows of Harvard College), **80** (Bequest from the Collection of Maurice Wertheim, Class of 1906, 1951.68. Photo Imaging Department © President and Fellows of Harvard College), **154** (Bequest from the Collection of Maurice Wertheim, Class of 1906, 1951.77. Photo Imaging Department President and Fellows of Harvard College), **221** (Bequest of Annie Swan Coburn, 1934.32. Photo Imaging Department President and Fellows of Harvard College), **245** (Bequest of Grenville L. Winthrop, 1943.919. Photo Imaging Department President and Fellows of Harvard College) ; Cardiff, National Museum of Wales **57** ; Chicago, Art Institute of Chicago **12**, **34**, **63**, **99**, **100**, **116**, **121**, **122**, **128**, **129b**, **140**, **155**, **192h**, **193**, **277** ; © 2019 Art Institute of Chicago/Art Resource, NY/Scala, Florence **115** ; Photo © Christie's Images/Bridgeman Images **201**, **214**, **260** ; Cincinnati Art Museum **105** ; Cleveland Museum of Art, **271** ; Collections particulières **7**, **16g**, **54g**, **62**, **93**, **131**, **156**, **163**, **164**, **165**, **166**, **203**, **222**, **236**, **248**, **261h** ; Denver Art Museum **81** ; Detroit Institute of Arts **36** ; Maria DeWitt Jesup Fund, 1951 ; acquired from The Museum of Modern Art, Lillie P. Bliss, 55.21.2 **96** ; © Douai, Musée de la Chartreuse. Photo Hugo Martaens **210** ; Édimbourg, National Gallery of Scotland **106**, **248** ; Essen, Museum Folkwang **233** ; Mary Evans/Diomedia **28d** ; Genève, Collection of Jean Bonna **56h** ; Glasgow, Burrell Collection **30** (Gifted by Sir William and Lady Burrell to the City of Glasgow, 1944. Bridgeman Images), **67**, **83**, **189g** ; Grasse, France, Musée d'Art et d'Histoire de Provence **145g** ; Hanovre, Landesmuseum/Artohek **211** ; Hartford, CT, Wadsworth Atheneum **94** ; Heritage Image Partnership Ltd/Alamy Stock Photo **18d**, **169** ; Heritage Images/Ashmolean Museum/Diomedia **55** ; Honfleur, Musée Eugène Boudin **40**, **42** ; Houston Museum of Fine Arts **192b** ; Kansas City, MO, Nelson-Atkins Museum of Art **144** ; Little Rock, AR, Arkansas Arts Center **261b**, **263** ; Londres, British Museum **15d**, **53**, **77**, **120**, **237**, **246**, **249** ; Londres, The Courtauld Gallery **15g**, **95** ; Londres, Photo Lefevre Fine Art Ltd./Bridgeman Images **151** ; Londres, Tate **239** ; Los Angeles, J. Paul Getty Museum **97** ; Madrid, Thyssen-Bornemisza Museum **82** ; Mantoue, Palazzo del Te **167**, **168** ; Memphis, TN, Dixon Gallery and Gardens **219**, **223**, **225** ; Monte Carlo Art S.A **145d** ; Montpellier, Musée Fabre **205**; New Britain Museum of American Art **32**, **178** ; New Haven, CT, Yale University Art Gallery **153**, **204** ; New York, Iris et Gerald Cantor **199** ; New York, Solomon R. Guggenheim Museum **247** ; New York, Metropolitan Museum of Art **23d** (Rogers Fund, 1937, 37.165.93), **26** (Rogers Fund, 1926, 26.169.2.), **58** (Rogers Fund, 1918, 19.51.7), **68** (H. O. Havemeyer Collection, Bequest of Mrs H. O. Havemeyer, 1929, 29.100.55), **72** (Bequest of Walter C. Baker, 1971, 1972.118.207), **86** (Bequest of Walter C. Baker, 1971, 1972.118.198), **110** (Gift of Roberta J. M. Olson et Alexander B. V. Johnson, 2016, 2016.765.2), **118** (Robert Lehman Collection, 1975, 1975.1.686), **119** (Harris Brisbane Dick Fund, 1948. 48.10.1), **152** (H. O. Havemeyer Collection, Bequest of Mrs H. O. Havemeyer, 1929, 29.100.195), **174** (Bequest of Edith H. Proskauer, 1975, 1975.319.1), **181** (Gift of Mrs Hope Williams Read, 1962, 62.72), **183** (From the Collection of James Stillman, Gift of Dr Ernest G. Stillman, 1922, 22.16.25), **195** (Purchase, The Annenberg Foundation Gift, 1996, 1996.418), **206** (Rogers Fund, 1922, 22.82.1-17), **209** (Robert Lehman Collection, 1975, 1975.1.683), **230** (Robert Lehman Collection, 1975, 1975.1.774), **238** (Metropolitan Museum of Art, New York. Bequest of Abby Aldrich Rockefeller, 1948, 48.190.2), **252** (Robert Lehman Collection, 1975, 1975.1.705), **259** (Harris Brisbane Dick Fund, 1948, 48.10.4), **262** (Robert Lehman Collection, 1975, 1975.1.720) ; New York, Museum of Modern Art **114**, **251** ; New York, Pierpont Morgan Library **194** ; Norwich, Sainsbury Centre for Visual Arts, UEA **244** ; Oxford, Ashmolean Museum **56b**, **129t**, **141** ; Paris, Bibliothèque Nationale de France **136**, **146** ; Paris, Musée du Louvre **39**, **41**, **44**, **45**, **54d**, **66t**, **70**, **70–71**, **71**, **189d**, **253**, **258** ; Paris, Musée Marmottan Monet **132**, **135b** ; Paris, Musée d'Orsay **78**, **135t**, **142**, **179**, **196**, **202** ; Paris, Petit Palais, Musée des Beaux-Arts de la Ville de Paris **175**, **188** ; Paris, Photo RMN-Grand Palais **19d** (Musée d'Orsay)/Michèle Bellot), **22** (Musée du Louvre)/Michel Urtado), **33** (Agence Bulloz), **143** (Musée d'Orsay)/Tony Querrec), **212** (A. Danvers) ; Pasadena, Norton Simon Museum **224** ; Philadelphia Museum of Art **176** (Gift of Mrs Sargent McKean, 1950-52-1), **250** (The Henry P. McIlhenny Collection in memory of Frances P. McIlhenny, 1986-26-31), **268** (The Henry P. McIlhenny Collection in memory of Frances P. McIlhenny, 1986-26-33); The Picture Art Collection/Alamy Stock Photo **69** ; Pictures Now/Alamy Stock Photo **226** ; Providence, Rhode Island School of Design Museum **235**, **273** ; Richmond, Virginia Museum of Fine Arts **180** ; Roger-Viollet/TopFoto **109b**; Rotterdam, Museum Boijmans Van Beuningen **91**, **92**, **231**, **275** ; Rutgers, The Jane Voorhees Zimmerli Art Museum, The State University of New Jersey, Herbert D. et Ruth Schimmel Museum Library Fund **264** ; San Francisco, The Fine Arts Museum **276** ; Stockholm, Nationalmuseum **184** ; Viareggio, Italy, Istituto Matteucci **160** ; Walsall, Courtesy The New Art Gallery. Photo Sallie Magnante **43**, **104** ; Washington, DC, National Gallery of Art **50** (collection de Mr et Mrs Paul Mellon), **117** (Wildenstein vol. 1, no. 194, Rosenwald Collection, 1951.16.64), **130** (collection de Mr et Mrs Paul Mellon, 1995.47.60), **177** (Rosenwald Collection, 1948.11.50), **216** (Rosenwald Collection, 1943.3.3825) ; Washington, DC, National Portrait Gallery, Smithsonian Institution **170** ; Westimage/Art Digital Studio © Sotheby's **215** ; Williamstown (MA), Sterling and Francine Clark Art Institute **52**, **76**, **133** ; Dominic Winter Auctioneers **213** ; Winterthur, Oskar Reinhart Collection 'Am Römerholz' **98** ; York Art Gallery **51**.

Remerciements

Je suis reconnaissant à Richard Brettell de m'avoir indiqué l'article de Debra DeWitte dans *Master Drawings* cité dans l'introduction. Dennis Cate est courageusement et gentiment venu à mon secours au sujet des dessins de Jean-François Raffaëlli. Mon épouse, Frances, a une fois de plus résolu des problèmes dus à mon incompétence technologique et m'a aussi aidé lors de la relecture des épreuves..

Je suis à nouveau extrêmement redevable à Julia MacKenzie, mon éditrice chez Thames & Hudson, et – pour le présent ouvrage – à ses collègues Giovanni Forti, en charge de la recherche iconographique, Sarah Praill, à qui l'on doit la mise en page du livre, et Susanna Ingram, responsable de sa fabrication et de son impression. J'ai été très sensible à leur soutien et à leur zèle tout au long de la création de cet ouvrage.

À propos de l'auteur

Christopher Lloyd a travaillé de 1968 à 1988 au sein du département d'art occidental de l'Ashmolean Museum d'Oxford où il a exercé à la fois les fonctions de conservateur et d'enseignant. Il a bénéficié d'une bourse de recherche de l'université d'Harvard pour étudier à la Villa I Tatti à Florence et a été Visiting Research Curator de peinture primitive italienne à l'Art Institute de Chicago. En 1988 il a été nommé Surveyor of The Queen's Pictures à la British Royal Collection et a occupé ce poste jusqu'à sa retraite en 2005. Il est l'auteur de plusieurs monographies de peintres, catalogues de collections muséales et études de la Royal Collection, ainsi que des ouvrages *Edgar Degas: Drawings and Pastels* et *Paul Cézanne: Drawings and Watercolours.*

Index

Les numéros de page en *italique* renvoient aux illustrations.